# Vicente Guerrero

# GRANDES MEXICANOS
## ILUSTRES

# VICENTE GUERRERO

Jorge Armendáriz Zúñiga

**DASTIN, S.L.**

© DASTIN, S.L.
Polígono Industrial Európolis, calle M, 9
28230 Las Rozas - Madrid (España)
Tel: + (34) 916 375 254
Fax: + (34) 916 361 256
e-mail: info@dastin.es
www.dastin.es

Edición Especial para:
**EDICIONES Y DISTRIBUCIONES
PROMO LIBRO, S.A. DE C.V.**

I.S.B.N.: 84-492-0341-4
Depósito legal: M-15.924-2003
Coordinación de la colección: Raquel Gómez

**Impreso en España - Printed in Spain**

*El autor es un periodista mexicano, de cincuenta y cuatro años de edad, con amplia experiencia como reportero de distintas publicaciones de México y como corresponsal de varias agencias latinoamericanas de noticias. Normalmente reside en México, pero también lo ha hecho en Nicaragua y Costa Rica, por primera vez en la década de los años 80 y por segunda ocasión entre los años 2000 y 2002. Su experiencia como corresponsal incluye numerosas misiones tanto en su país natal como en Centroamérica, América del Sur y Europa. Ha trabajado como corresponsal, editor y jefe regional de las agencias Prensa Latina (Cuba), Nueva Nicaragua (ANN) y Notimex (México). También se ha desempeñado como reportero y editor para semanarios como* Tiempo Libre, Siempre *y* El Día Latinoamericano, *todos de México. En la actualidad se desempeña como reportero freelancer para distintas publicaciones internacionales.*

# Prólogo

ABLAR de Vicente Guerrero es hablar de la guerra de la independencia en México, un proceso de lucha guerrillera que desembocó en el fin de la dominación española y en el surgimiento de un México independiente, en una época que fue decisiva para este país latinoamericano, pues en esos años no sólo se consolidó su independencia política, sino que se establecieron las instituciones que habrían de regir a esta nación, todas ellas de corte moderno, y, lo que es más importante, se configuró la sociedad mexicana.

A partir de 1821 se dio en México un proceso de movilidad social extraordinario que promovieron consciente o inconscientemente diversos grupos políticos. Una nueva categoría de dirigentes surgió en la escena y se produjeron cambios, con sus inevitables reacciones, que dieron a la historia mexicana un sentido muy dinámico.

Es importante señalar que al consumar su independencia, México dejaba atrás casi tres siglos de virreinato, un sistema de gobierno que duró desde 1535 hasta 1821 y en el que gobernaron en nombre del rey un total de sesentaiún virreyes con poderes prácticamente ilimitados, si bien estaban sujetos a juicio de residencia una vez separados de sus funciones. En general fueron personas responsables, que cumplieron con acierto su misión.

El primer virrey fue Antonio de Mendoza, quien ejerció su cargo desde 1535 hasta 1550, en que fue designado virrey del Perú, muriendo en Lima dos años después. Mendoza protegió a los indios e introdujo la imprenta en México, la primera de América; creó industrias y fomentó la agricultura y la ganadería; contuvo los desmanes de los encomenderos e impidió que ningún indio fuese herrado.

El segundo virrey, Luis de Velasco, quitó a los encomenderos todos los indios esclavizados por ellos y prohibió el trabajo que los indígenas hacían a los españoles. Despachó una flota que incorporó a las Filipinas, fundando Manila y otras ciudades en ese archipiélago asiático.

Durante su gestión se desarrolló la minería, que llegó a ser la principal fuente de divisas de la Nueva España gracias a que la producción de plata aumentó en grandes proporciones.

Otros virreyes fomentaron la industria, construyeron caminos, fundaron hospitales, embellecieron la ciudad de México, construyendo hermosos edificios y escuelas gratuitas, pero con la constante llegada de peninsulares y el nacimiento de criollos la población blanca creció, aumentó el mestizaje, el comercio se desarrolló y se fundaron nuevas ciudades.

El tráfico marítimo se hizo más intenso y eran muchos los barcos que zarpaban desde Veracruz a España y de Acapulco a las Filipinas. Algunas de estas flotas cayeron en poder de los piratas ingleses y franceses, sobre todo de los primeros, que desde el siglo XVI infestaron el océano Atlántico, causando no pocos trastornos al comercio de España con sus colonias en ultramar.

En este contexto hay que enmarcar el advenimiento del México independiente. Las ideas de los enciclopedistas franceses, la emancipación de las Trece Colonias americanas y, sobre todo, la injusticia social reinante en la Nueva España, donde los españoles y los criollos gozaban de grandes privilegios y acumulaban los cargos y riquezas, en detrimento de los indígenas, había producido ya, desde las últimas décadas del siglo XVIII, algunos movimientos separatistas, que habían sido fácilmente desbaratados por carecer los mismos de apoyo popular.

La abdicación de Carlos IV en favor de Napoleón (1808) y la invasión de España por los ejércitos franceses crearon en la colonia una situación especial, esta vez entre los elementos españoles, que propició el robustecimiento de las ideas autonomistas. En efecto, ni las autoridades designadas por el rey ni los peninsulares y criollos pudieron llegar a un acuerdo sobre la forma de gobernar la Nueva España, mientras en la Península luchan los españoles contra los franceses.

Fue en ese marco cuando algunos patriotas, entre los que se destacaba el cura del pueblo de Dolores (estado de Guanajuato), Miguel Hidalgo y Costilla, comenzaron a conspirar en Querétaro, bajo el pretexto de reunirse bajo la cobertura de una academia literaria.

Hidalgo había nacido en 1753 en el rancho de Corralejo, cerca de Pénjamo, Guanajuato. Estudió en el colegio de San Francisco Javier, en Valladolid (hoy Morelia), del que más tarde sería catedrático y rector. Era una persona de gran cultura, conocía el francés y varias lenguas indígenas.

En el pueblo de Dolores, del que Hidalgo era párroco, fomentó el cultivo de la uva y de la morera y la industria del gusano de seda, y fundó una fábrica de loza.

La trama fue descubierta, y algunos de los conspiradores, apresados. En vísperas de ello, a las dos de la madrugada del 16 de septiembre de 1810, Hidalgo convocó a sus feligreses, liberó a los presos políticos que había en la cárcel del pueblo y lanzó el Grito de Independencia. Logró reunir unos seiscientos hombres y emprendió la marcha hacia San Miguel, ocupando la ciudad, donde se le unió el regimiento de Dragones de la Reina, al que pertenecía el capitán Ignacio Allende.

Del cercano pueblo de Atotonilco, Hidalgo tomó una imagen de la Virgen de Guadalupe que había en su santuario y la alzó como bandera de los patriotas. Luego se dirigió a la ciudad de Guanajuato, uniéndosele en el camino millares de indios. Puso sitio a la ciudad, que fue tomada tras larga lucha por la posesión de la Alhóndiga de Granaditas, donde se habían refugiado las autoridades y las fuerzas realistas. Todos los defensores de la Alhóndiga fueron muertos.

El ejército de Hidalgo seguía creciendo día a día. Cuando tomó Valladolid, el jefe insurgente promulgó un decreto que abolía la esclavitud y los impuestos de castas. Esta medida le restó simpatías entre los criollos, y varios obispos censuraron su actitud.

Las fuerzas virreinales emprendieron una campaña militar contra los insurgentes, pero fueron derrotadas en el monte de las Cruces en octubre de 1810 por el capitán Ignacio Allende, uno de los primeros y más entusiastas revolucionarios de la conspiración de Querétaro.

Allende regresó a Guanajuato e Hidalgo decidió volver a Querétaro; en el camino sus tropas sufrieron una primera derrota a manos de las fuerzas del brigadier Calleja. Luego Hidalgo y Allende se reunieron en Guadalajara, donde organizaron un gobierno insurgente, fundaron un periódico, *El Despertar Americano,* y ratificaron las disposiciones adoptadas en Valladolid. Las fuerzas realistas se acercaban a Guadalajara y, después de derrotar a los insurgentes en Puente de Calderón, tomaron la ciudad.

Hidalgo y sus tropas leales escaparon hacia el norte pero, debido a una traición, fueron apresados cerca de Monclova y juzgados en Durango y Chihuahua. Hidalgo fue despojado de su investidura sacerdotal por el tribunal eclesiástico y la autoridad civil lo condenó a muerte, lo mismo que a los más destacados de sus acompañantes: Allende, Aldama y Jiménez.

Éstos fueron fusilados el 26 de junio de 1811, e Hidalgo el 30. Las cabezas de los jefes insurgentes se enviaron a Guanajuato para que se exhibieran en la Alhóndiga.

Pero el movimiento insurgente no había muerto; lo continuaba otro gran patriota, don José María Morelos y Pavón, quien había nacido en Valladolid en 1765. Morelos era criollo y su padre ejercía el oficio de carpintero. Huérfano desde muy niño, Morelos trabajó once años como agricultor. Por la pobreza de su familia no pudo estudiar de joven, y ya tenía veinticinco años cuando ingresó en el Colegio de San Nicolás, de su ciudad natal, donde se ordenó sacerdote pasados ya los treinta. Cuando estalló la lucha por la independencia, Morelos tenía cuarenta y cinco años y era párroco de Curácuaro.

Fue entonces cuando Hidalgo encargó a Morelos que levantara tropas en los estados del sur de México, y para allá partió, acompañado de veinticinco hombres portadores de un armamento heterogéneo. En el actual estado de Guerrero se le unieron algunos elementos valiosos, entre los que figuraban los hermanos Galeana y don Vicente Guerrero, cuya biografía es el propósito de este libro.

Las tropas de Morelos engrosaron considerablemente y se hicieron dueñas de casi todo el estado, tomando Taxco y otras plazas, y apoderándose también de Izúcar, en el estado de Puebla. En 1812, Morelos se refugió en Cuautla, donde fue sitiado, resistiendo durante tres meses las acometidas del ejército realista, hasta que, agotadas las provisiones, abandonó la plaza con sus tropas, burlando a los sitiadores.

Morelos continuó la lucha, y en 1813 reunió al Congreso Nacional de Chilpancingo, que proclamó la independencia de México. En 1814 se promulgó la llamada Constitución de Apatzingán. Morelos tomó las plazas de Orizaba, Oaxaca y Acapulco. El virrey Venegas fue sustituido por el general Calleja, quien había derrotado a Hidalgo un año antes.

Morelos también fue derrotado y hecho prisionero en Temazcala. Conducido a México, fue condenado a muerte y fusilado en San Cristóbal Ecatepec el 22 de diciembre de 1815. Todavía continuaron las fuerzas guerrilleras de Morelos hostilizando a las fuerzas del virrey, pero con poca eficacia.

En 1816, el virrey Calleja fue sustituido por Juan Ruiz de Apodaca, un hombre pacifista que trató con benignidad a los patriotas mexicanos, otorgando un indulto general. Todavía continuó la lucha en algunas regiones del país, distinguiéndose en especial en esta tercera etapa de la guerra de independencia don Vicente Guerrero, además de Guadalupe Victoria, Francisco Javier Mina (español, que, después de luchar contra los franceses en la Península, pasó a México a combatir por la libertad, siendo capturado y fusilado en 1817), así como Pedro Moreno, Pedro Ascencio y el padre Torres.

Entre tanto, Napoleón había sido derrotado y Fernando VII, el hijo de Carlos IV, regresó a España como rey. Su primera preocupación fue deshacer la obra de las Cortes de Cádiz, que redactaron la progresista Constitución de 1812. Ante la reacción absolutista, renació en México el sentimiento separatista.

Vicente Guerrero y Agustín de Iturbide, antiguos enemigos, formularon el *Plan de Iguala* (24 de febrero de 1821), al que pronto se adhirieron los más destacados insurgentes y no pocos realistas. En dicho documento se proclamaba la independencia nacional bajo un régimen de monarquía constitucional y la igualdad de los ciudadanos. Se adoptaron los colores verde, blanco y rojo para la bandera del nuevo Estado. El *Plan de Iguala* fue pronto reconocido como síntesis de las aspiraciones generales de libertad de los mexicanos.

El virrey Apodaca fue depuesto por los militares realistas, que le achacaban lenidad en la persecución de los insurgentes que derrotaron a sus tropas en varios combates, y en su lugar fue nombrado Francisco Novella el 5 de julio de 1821. Sin embargo, su mandato apenas duró un mes. Por influencias de los liberales españoles había sido designado jefe político de la Nueva España don Juan de O'Donojú, quien llegó para hacerse cargo de su puesto el 3 de agosto del mismo año.

Hombre de sentimientos liberales, O'Donojú se puso al habla con Iturbide y aceptó el *Plan de Iguala*. El 24 de agosto se firmó el *Tratado de Córdoba*, que era, de hecho, la consumación de la independencia mexicana. Se preveía en dicho documento la creación de una Junta Provisional Gubernativa, de la que formaron parte Iturbide y O'Donojú. La junta se reunió el 28 de septiembre y redactó el Acta de Independencia, convocando un Congreso Constituyente.

Aún discutía el Congreso la Constitución política que se intentaba dar a México cuando, en la noche del 18 de mayo de 1822, un sargento de infantería arrastró a los soldados de una guarnición a un movimiento a favor de Iturbide, uno de los autores del *Plan de Iguala*. Al día siguiente, el Congreso proclamó la monarquía constitucional y hereditaria.

Iturbide fue coronado emperador, con el nombre de Agustín I, el 21 de julio de 1822. Ante la hostilidad que le manifestó el Congreso, el flamante monarca procedió a disolverlo, creando en su lugar una Junta Nacional. Esto aumentó el descontento y las ideas republicanas se extendieron, poniendo en peligro el trono.

El general Antonio López de Santa Ana se sublevó en Veracruz en contra de Agustín I y lo mismo hicieron Guerrero, Bravo y Victoria. El Congreso disuelto por Iturbide fue reinstalado, y Agustín I, falto de elementos para hacer frente al descontento general, tuvo que abandonar el país.

Su imperio había durado sólo dos meses. Las regiones del istmo aprovecharon las dificultades que la nación atravesaba para separarse de México, creando un nuevo Estado, que llamaron Provincias Unidas de Centroamérica.

El 15 de julio de 1824, Iturbide, ignorando que el Congreso le había declarado traidor si regresaba al país, desembarcó en un puerto del golfo de México, siendo detenido y fusilado tres días después. El 4 de octubre de ese mismo año se promulgó la Constitución Federal de los Estados Unidos Mexicanos, instaurando el régimen republicano.

El primer presidente fue Guadalupe Victoria, que duró en el cargo cinco años. Después ocuparon la presidencia Vicente Guerrero (1829) y Anastasio Bustamante (1830-1832).

Vicente Guerrero había sido depuesto por el Congreso, ocupando la presidencia Bustamante, que tenía mayoría de partidarios en la Cámara. Inconforme con esta decisión, Guerrero se retiró a Acapulco, desde donde continuó combatiendo a su sucesor.

Pero, capturado gracias a una traición, Guerrero fue conducido a Oaxaca, donde un tribunal le condenó a muerte, siendo fusilado en Cuilapa el 14 de febrero de 1831.

En esta obra se narra la historia de este guerrillero indomable, cuyo principal mérito fue el de hacer renacer de sus cenizas al movimiento insurgente mexicano cuando parecía estar a punto de extinguirse, recomponer a sus alicaídas tropas y conducirlas lenta pero irreversiblemente hacia una serie de victorias militares que dieron como resultado el fin del virreinato español y la consumación de la anhelada independencia en el país, el primer paso de un largo camino lleno de obstáculos que cimentarían en México su permanente lucha por la libertad.

# Capítulo Primero

## — Los primeros años —

VICENTE Guerrero, según su propia confesión en la causa que se le formó en 1831, tenía cuarenta y ocho años en esa fecha, de donde se infiere que nació en 1783, probablemente el 9 o el 10 de agosto. Proveniente de una familia oscura, perteneciente a la clase indígena y dedicada al campo; su lugar de origen fue el pueblo de Tixtla, localidad del sureño estado mexicano que lleva su nombre y que aloja también al mundialmente famoso balneario de Acapulco.

Su casa fue censada en 1791, figurando en tal ocasión como «niño de ocho años de edad», y con él su padre y varios tíos que señalaron como oficio el de «arrieros». El dato importa porque Guerrero, siendo adolescente y con una mínima instrucción elemental, se vio destinado a la muy dura, sufrida y movible, pero también fortificante, actividad de la arriería. En tal desempeño, antes de 1810, año de inicio de la guerra de independencia en México, Guerrero llegó a conocer y dominar, a menudo con sorprendente detalle, la difícil y abrupta geografía del sur del país (la cuenca del río Balsas, la Sierra Madre del Sur, la Costa Grande y la Costa Chica del estado de Guerrero, que en su honor lleva su nombre), experiencia que le sería de enorme utilidad en la lucha guerrillera contra las tropas realistas.

Pero vayamos por partes. Aunque existe escasa información documental sobre sus orígenes, los historiadores oficiales parecen coincidir en que el señor Guerrero, antes de tomar las armas y sumarse a la lucha por la independencia de México, se dedicó a ejercer la arriería, sin adquirir por consiguiente ninguna educación. Tal vez ni aun leer sabía antes de la independencia, pues eran muy raros los hombres de su clase que lograban, especialmente en las costas, los beneficios de la instrucción.

Estos defectos, que no pueden echarse en cara al hombre sino a la época, fueron realmente una desgracia para la República, que sin ellos tal vez habría admirado en Vicente Guerrero no sólo al patriota leal y al soldado atrevido, sino al magistrado experto y al político inteligente. Y esta opinión es tanto más probable porque la naturaleza había dotado al general Guerrero de una compresión fácil y de un carácter accesible y suave.

Estas dotes, cultivadas por la buena educación, habrían sido fecundadas por el estudio y desarrolladas plenamente por la experiencia. Sin embargo, el trato con personas de talento e instrucción suplió en parte esa desgracia. De manera que, si bien Vicente Guerrero no podía llamarse un hombre ilustrado, tampoco merecía los epítetos de bárbaro e imbécil con que la saña que quiso denigrársele en otros tiempos.

De acuerdo con algunos de sus biógrafos, Vicente Guerrero nació en la localidad de Tixtla, ubicada en un valle florido que, como nido de águilas tejido a 1.250 metros sobre el nivel del mar, se arrellana entre la fiereza de la Sierra Madre del Sur.

Tixtla era un endeble pueblecillo fundado en la agonía del siglo XVI como resultado del fallo dictado por don Martín de Armendáriz, el castellano comisionado por el virrey para dar término a la disputa del valle entre los habitantes de las localidades de Atliaca y Mochitlán, diferencia que amenazaba con convertirse en una disputa sangrienta.

«Por mandato de su alteza, el virrey de esta Nueva España, y según cédula real decretada con la venia de Dios y de su Majestad, este valle no será de los habitantes de Atliaca ni de Mochitlán, sino de los habitantes de los villorrios de Tejalcingo, Tepotlzis, Zaltepetla, Cuamanco, Tecoantla y Tixtla, los que usufructuarán sus beneficios fundando un nuevo pueblo cuyo nombre será el de Tixtla, cuya propiedad territorial se extenderá hasta el arroyo de Tezahuapa por el norte y hasta el aguaje de Tepetlacho por el sur», sostuvo Martín de Armendáriz cuando, flanqueado por un clérigo y un militar, tomó en sus manos una tosca cruz de madera lugareña, la hundió en la costra negra sobre la que pisaba y fundó Tixtla en nombre del virrey.

Vicente Guerrero, de acuerdo con varios historiadores, siempre fue muy despreocupado de sí mismo, tan lejos de todo afán de notoriedad, que ni siquiera se cuidó de integrar su hoja de servicios a pesar de que llegó a ser presidente de México, por lo que aún hoy existen lagunas impenetrables sobre los cuarenta y ocho años que duró su vida. Hay dudas sobre la fecha de su nacimiento, no se conocen detalles sobre las escuelas donde estudió, si es que lo hizo, y hasta se desconocen el lugar y la fecha exacta de su matrimonio.

La tradición asegura que Vicente Guerrero, hijo de don Juan Pedro Guerrero y doña María Guadalupe Saldaña, nació el 9 de agosto de 1782, y que fue bautizado un día después, según la partida de bautizo que aún se conserva en el libro número 15 del archivo parroquial de Tixtla.

Algunas crónicas lo describen en sus primeros años de vida como un niño moreno, de pelo ensortijado, pobres ropas y un innato descuido infantil, que cazaba gorriones entre los espesos ramajes de los fresnos y que jugueteaba por las callejuelas tirando piedras y saltando tapias de solares baldíos, cuando su padre le permitía algunos minutos de descanso entre faena y faena agrícola.

Ya hecho un adolescente, cambiaría la honda cazadora por la escopeta de chispa; la vara de membrillo con la que amaestraba a los perros de la casa, por el tapaojos del arreador; la excursión a los parajes aledaños por las largas caminatas tras la recua, aprendiendo del padre los secretos de la arriería hasta que su mente alcanzó la madurez necesaria y pudo establecer comparación entre el blando rigor paterno y la cruda realidad de los mexicanos sometidos a una esclavitud que ahogaba desde sus inicios las más simples manifestaciones de inconformidad.

Con el tiempo, los habitantes de los villorrios y aldeas que tocaban los caminos de herradura conocerían a aquel hombre, lo tratarían con la familiaridad de la convivencia, lo estimarían por su don de gentes y le abrirían el corazón por su sencillez.

Fueron sus largos recorridos por las abruptas serranías, los extensos litorales del océano Pacifico, los largos y temidos cañones, las traicioneras márgenes de los caudalosos ríos y las umbrosas veredas que lo mismo lo llevaban a los grandes centros comerciales de entonces, como Acapulco, principio y fin de las rutas de navegación de las naos de China, los galeones de las Filipinas y las carabelas que seguían rumbo a Guayaquil y El Callao; a la vieja y hermosa Valladolid, a Veracruz, a Saltillo o a Guanajuato, los que guiaron a Vicente Guerrero lo mismo hacia la amistad de ricos hacendados como los hermanos Galeana, los Bravo y don Julián de Ávila, como le conectaron en una amistad nacida en la hermandad del sufrimiento con otros arrieros, como don José María Morelos y Valerio Trujano.

## Capítulo II

L A misma falta de datos que hay para conocer los primeros años de vida de Vicente Guerrero se presentan para juzgar los principios de su carrera militar, que se produce en momentos en que en la Nueva España se registra una brutal dominación española que mantenía a la población mexicana en calidad de esclava en minas y haciendas.

A los nativos les estaba prohibido, entre otras muchas cosas, fundar cofradías y colegios, verificar juntas o cabildos de indios sin que precediera licencia del rey o del prelado más próximo, presentando ordenanzas o estatutos al Consejo para su aprobación y, aun obtenida ésta, no se podían juntar, ni hacer cabildo o Ayuntamiento, sino estando presente algún ministro real nombrado por el virrey, presidente o gobernador, y además el prelado de la casa en que se juntasen. Viviendo en esta situación, los ánimos de los sometidos estaban caldeados y latente la explosión revolucionaria que desde el pueblo de Dolores, estado de Guanajuato, se fraguaba y de cuyo aliento era alma don Miguel Hidalgo y Costilla. Desde hacía tiempo, este patriota había hecho ramificaciones de su inquietud y el sur de México no era ajeno a ella.

En el sur de México el centro de la conjura era Tepecoacuilco, por aquel entonces uno de los centros comerciales importantes y paso obligado para quienes viajaban entre la capital del virreinato y Acapulco; el jefe de ella era nada menos que un arriero gran amigo de Morelos, don Valerio Trujano. Siendo Trujano gran amigo de Vicente Guerrero y ambos de don José María Morelos y Pavón, es seguro que Guerrero conocía el secreto y formaba parte del compromiso.

En todo caso, según todas las probabilidades, Guerrero comenzó su carrera militar a las inmediatas órdenes de don Hermenegildo Galeana, en la división que Morelos organizó en el sur a fines de 1810 por órdenes de Hidalgo.

Esta opinión se funda en que en diciembre de 1811 ya Guerrero figuró como capitán en Izúcar, y no como oficial de poca importancia, puesto que al marchar Morelos para Taxco, lo dejó encargado al mando de aquella plaza. Es por tanto casi seguro que Guerrero se unió a la causa de la independencia en octubre o en noviembre de 1810, y que durante el año 1811 militó a las órdenes de Morelos en el regimiento que mandaba don Hermenegildo Galeana. Sin embargo, la primera vez que suena su nombre de una manera notable, según los historiadores Bustamante y Alamán, es en la referida acción de Izúcar, donde el 23 de febrero de 1812 derrotó al brigadier Llano, y sostuvo y extendió por aquellos rumbos la causa de la independencia. Siguió después en las campañas sucesivas del señor Morelos, y en 1814 comenzó ya a figurar entre los jefes del movimiento insurgente.

De los numerosos testimonios de los historiadores mexicanos se colige que Guerrero era un joven de veintisiete años, delgado, de mediana estatura, musculoso, moreno, de facciones finas, nariz recta, ojos llenos de vivacidad, grandes patillas y pelo revuelto, cuando se hizo soldado insurgente en el pueblo de Tecpan, lugar nativo de los Galeana, el 7 de noviembre de 1810, fecha de llegada de Morelos a aquel lugar, hacia donde Guerrero había partido con júbilo y tristeza; lo primero al saber que la lucha tan esperada se había iniciado, y lo segundo porque su madre lo había visto partir con gran pesar mientras que su padre, no sólo evitó ayudarlo, sino que desaprobaba su incorporación a la lucha y prohibió toda comunicación familiar con él.

Militando a las órdenes de tan denodados jefes, el joven soldado pronto templó su ánimo en las frecuentes muestras de arrojo tanto de Galeana como de Morelos. Y pudo ser testigo y actor de acciones de guerra tan importantes para la causa independentista como los audaces atrincheramientos de El Aguacatillo, verificados el 13 de noviembre de ese año, ante la cercana presencia de respetables fuerzas realistas españolas acantonadas en Acapulco; la fortificación del cerro de El Veladero, a la misma vista del puerto, en cuyo pie de la montaña recibieron el fiero ataque del realista Carreño, a quien vencieron e hicieron huir.

Para hacer más amenazante la presencia de sus hombres, Morelos ordenó que se extendieran los atrincheramientos a los pueblos de Las Cruces, Puerto Márquez y Pie de la Cuesta, tomando como punto de apoyo El Veladero. Aquello equivalía a ponerle cerco a Acapulco, un reto inconcebible para los realistas españoles. Sucesivamente se encadenaron las victoriosas acciones insurgentes de Llano Grande, San Marcos, Las Cruces, La Sabana y Tres Palos, hasta que Morelos tomó la decisión de atacar la fortaleza de San Diego, otrora baluarte de Acapulco en la defensa contra corsarios y bucaneros. Fue ahí donde Vicente Guerrero tomó para su experiencia lo veleidoso del carácter humano al ser testigo de la traición de un realista español, sargento de artillería del fuerte, de nombre José Gago, quien a cambio del pago de trescientos pesos se había comprometido a facilitar la entrada de los insurgentes mexicanos por el puente levadizo en una acción militar que se registró en la madrugada del 8 de noviembre de 1811.

Sin embargo, cuando las fuerzas insurgentes de vanguardia esperaban ansiosas que cayera el puente y se abrieran las puertas, inesperadamente las almenas se coronaron de soldados españoles que abrieron fuego de fusilería sobre los atacantes mexicanos, y tronaron los cañones en las alturas del castillo y en las cubiertas de siete embarcaciones españolas fondeadas en la bahía.

Los insurgentes se vieron precisados a retirarse en desorden con grandes pérdidas e incluso se cuenta que Morelos, desesperado ante la imposibilidad de imponer orden en la tropa, se vio obligado a tenderse, unos dicen que sobre un estrecho puente, otros que sobre un sendero, pero lo cierto es que nadie se atrevió a pasar sobre el cuerpo de su insigne jefe.

# Capítulo III

## — La toma de Tixtla y otros combates —

CONSIDERANDO difícil la toma del puerto de Acapulco, Morelos ordena la salida hacia Chilpancingo, plaza que arrebata al comandante español de apellido Garrote y en donde se le unen los Bravo, ricos propietarios de la hacienda de Chichihualco, quienes encuentran su salvación enrolándose como insurgentes al estar amenazadas sus vidas, pues el gobierno virreinal les perseguía por negarse a organizar cuerpos de «fieles realistas» para enfrentarlos a los revolucionarios mexicanos. En tanto consolidaba la plaza de Chilpancingo, Morelos planeaba ya el ataque a Tixtla, vecina población donde se había hecho fuerte Garrote.

Aquella tibia mañana del 26 de mayo de 1811 se inició la marcha de la tropa insurgente hacia Tixtla, con el recio tropel de la caballería comandada por don Hermenegildo Galeana, entre cuya oficialidad se contaba el capitán don Vicente Guerrero y el inconfundible rodar de los carromatos sobre los que iban montados los cañones, obuses y culebrinas que componían la artillería.

Como la columna de cerca de tres mil hombres se encaminaba hacia la pesada cuesta del oriente, a nadie le quedaba duda que se dirigían hacia Tixtla, distante cuatro leguas con serranía de por medio poblada de tupidas encinas. El viejo camino de herradura que unía a los dos poblados lo componían, alternadas, dos subidas y dos bajadas, de tal suerte que cuando encumbraron al filo de las 10 de la mañana el cerro del Molino, se abrió la panorámica de Tixtla y su hermoso valle circundante.

Fue entonces cuando se ordenó detener la marcha. Morelos sacó su catalejo, miró con atención hacia la planicie y reclamó la presencia de Vicente Guerrero, oriundo de Tixtla.

—Capitán Guerrero: usted es de Tixtla y conoce mejor que nosotros la disposición de las calles y los puntos por donde puede tener mayor éxito nuestro ataque, si se considera que hay que ahorrar vidas y municiones.

—Señor: tengo conocimiento de que los realistas han puesto especial empeño en proteger el centro del pueblo bloqueando las bocacalles con cañones, se han parapetado en las alturas del templo principal y, sobre todo, han artillado el cerrito del Calvario que usted puede ver hacia la izquierda y que presenta magníficas ventajas para su defensa por ser la mayor y más próxima prominencia de la plaza.

—Bien, entonces dispongámonos al ataque.

Morelos ordenó que se emplazaran los cañones en los lugares más ventajosos para poder sostener el duelo de artillería que ya era inminente, en tanto que la infantería se abría en línea de batalla desde el arroyo de Jaltipan hasta muy arriba del cerro de las Piedras Altas. Don Hermenegildo Galeana, al frente de los Lanceros del Sur y obedeciendo las instrucciones de Morelos, cubriría la retaguardia desde las laderas del Molino hasta donde se empezaba a pronunciar el escabroso Piedras Altas, listos para accionar en caso de que el ataque se frustrara y se hiciera necesaria la retirada.

El cruel momento no tardó mucho en llegar, ya que en la cumbre del Calvario tronaron los cañones. Confiaban tanto en el triunfo los jefes realistas que ni siquiera se quitaron los uniformes de gala con los que paseaban momentos antes en el centro del poblado. La respuesta no se hizo esperar, cuando rugió «El Niño» y los demás obuses y culebrinas insurgentes, haciendo que se estremecieran las recias rocas de los parapetos.

Estaba el cañoneo en su apogeo cuando se ordenó el avance de la infantería insurgente, la que trepando por los escarpes tomó a arma blanca la corona del Calvario, lugar que a partir de aquel momento los tixtlecos le dieron el nombre de «El Fortín». En tanto los defensores españoles intentaban huir buscando la protección de las fuerzas que custodiaban el centro, acosados siempre por la caballería que les perseguía por los laberínticos callejones del barrio, don Vicente Guerrero atacaba por la retaguardia.

El aluvión de soldados libertadores que llenaban las calles de La Igualdad y El Relox inmovilizó a los defensores, redujo a la impotencia los cañones y tomó a sangre y fuego las torres y balaustradas del templo de San Martín, que a esas horas estaban a reventar de creyentes que buscaban salvar sus vidas.

Al ver la cantidad de gente que se apretujaba en el templo, Morelos rogó a Guerrero:

—Capitán Guerrero: usted que habla el mexicano diga a estos naturales que están libres y que, si quieren seguir nuestras banderas, los recibiré con gusto.

Don Vicente Guerrero transmitió a sus paisanos la orden del general Morelos. Minutos después, el coronel Galeana informaba a Morelos de los dividendos del combate. Se habían hecho 600 prisioneros, recogido 200 fusiles y tomado ocho cañones. Los derrotados habían tomado el rumbo de la vecina Chilapa la Grande.

Derrotado Garrote en Tixtla, se refugió en Chilapa, que a los pocos días fue atacada y también tomada. Desalojados de ella los realistas, pierden igualmente Tiapa. Dueño de esa extensa región y para hacer más estratégica su posición, Morelos divide sus efectivos en tres cuerpos: deja en Izúcar un contingente al mando del coronel don Mariano Matamoros, nombrándole como segundos a los capitanes Vicente Guerrero y José María Sánchez; el coronel don Hermenegildo Galeana, acompañado de don Miguel Bravo, tomaría Tepecoacuilco y Taxco, mientras que Morelos, al frente del tercer cuerpo, avanzaría hacia Tenancingo, en tanto los realistas atacaban Zitácuaro, centro del gobierno insurgente fundado por Rayón, operación que se convirtió en catastrófica para la independencia.

Por esa causa, Morelos consideró peligrosa la estadía de su ejército en esa zona y decidió marchar a Cuautla de Amilpas, población a la que llega el 9 de febrero de 1812 llevando tres mil hombres. Los jefes realistas no le perdían los pasos; el plan de Venegas para entonces era atacar simultáneamente Cuautla, a la que tiende cerco de inmediato, e Izúcar, ocupada por Vicente Guerrero.

El brigadier realista Ciriaco del Llano, al mando de dos mil hombres, llega frente a Izúcar el 23 de febrero, se posesiona del cerro del Calvario desde donde cañonea las trincheras insurgentes, mientras la infantería avanza dividida en dos columnas. El choque fue sangriento y las sucesivas embestidas realistas rechazadas. Al caer la tarde, los atacantes se vieron obligados a regresar a sus posiciones.

No conformes con el descalabro, al día siguiente repitieron el ataque. Acosados los soldados de Andrade desde las troneras que Vicente Guerrero ordenó se abrieran en las paredes de las casas, nuevamente fueron rechazados. Desesperados por el fracaso, por el ridículo y en venganza por la colaboración prestada por los vecinos a los defensores, incendiaron las casas de los barrios de Santiago y El Calvario y cañonearon Izúcar durante todo el día.

En eso estaba el jefe realista cuando recibió la orden de Calleja de concentrarse en Cuautla para reforzar el cerco, lo que hizo el 26 de febrero. Pero su retirada de Izúcar no fue tranquila: Guerrero y sus hombres acosaron la retaguardia, logrando quitarle en las escaramuzas un cañón y hacerle varios prisioneros.

Durante el sitio a Cuautla, que duro setenta y tres días, tan agobiante y tan brillantemente defendido por Morelos, Guerrero, don Miguel Bravo y otros jefes, imposibilitados por sus escasos recursos para emprender una acción más efectiva, las fuerzas insurgentes se conformaron con merodear por Moyotepec y Mal País; prácticamente dominaban las faldas del volcán Popocatépetl, desde donde podían hostilizar los refuerzos y convoyes de auxilio que el virrey enviaba al inepto Calleja.

Roto el sitio, Morelos se dirigió a Chilapa a darle algún reposo a sus soldados y a proveerse de pertrechos de guerra. Fue entonces cuando recibió la petición de auxilio de don Valerio Trujano, quien resistía el fiero sitio de Huajuapán, y que Morelos le brinda presuroso. Fue Vicente Guerrero quien encabezó el ataque arrollador sobre el grueso de las tropas realistas, tomando las trincheras y siendo el primero que con su gente logró contacto con los agotados soldados sitiados, traduciéndose esta batalla en otro costoso descalabro realista el 23 de julio de 1812.

Morelos concentró sus efectivos en Tehuacán y para el 12 de septiembre de ese año el grueso del ejército insurgente ascendía a cinco mil hombres, cuarenta cañones y brillantes jefes como Matamoros, los tres Galeana, don Miguel y don Víctor Bravo, don Guadalupe Victoria, don Vicente Guerrero y don Valerio Trujano, sin contar a otros jefes guerrilleros que operaban en otras regiones de México, al grado de que sólo las grandes ciudades estaban en manos de los realistas, quienes tenían como una de sus mayores preocupaciones mantener expeditos los caminos y apagar los innumerables brotes de insurrección que les quedaban a la mano.

Fue así como las fuerzas de Morelos atacaron Orizaba y Córdoba, y días después se movían hacia el sur para amenazar Oaxaca, plaza defendida por el realista Antonio González Saravia, pero que fue tomada a principios de diciembre. Con ese triunfo, Morelos se colocaba en envidiable situación, pues se había hecho dueño en gran parte del litoral sur del océano Pacífico, ya que dominaba desde el istmo de Tehuantepec hasta la Boca de Zacatula, lo que significaba controlar las provincias de Oaxaca, Puebla, el sur de la de México y Valladolid, menos el puerto de Acapulco.

Sintiendo la urgente necesidad de contar con un puerto importante para tener comunicación con el exterior, Morelos decide el ataque a Acapulco, bien defendido por el mexicano traidor don Pedro Vélez, con sus dos mil hombres y noventa piezas de artillería, más auxiliados por los bergantines y pequeñas embarcaciones de guerra fondeadas en la bahía, puerto que a la postre fue tomado el 12 de abril de 1813.

Aunque con este triunfo la fama de Morelos acabó de acrecentarse, se ha tomado como un error táctico, ya que estas operaciones duraron seis meses, tiempo suficiente para que Calleja repusiera sus fuerzas del centro, aunque hay que suponer, a favor de la estrategia de Morelos, que el centro, por débil que se supusiera, era necesariamente fuerte.

Para el primero de julio de 1813, don Vicente Guerrero tenía el grado de teniente coronel y se le localiza en el pueblo de Cuautepec, donde había escarmentado seriamente al brigadier realista Moreno Daoiz.

El 22 de octubre de ese año, precisamente la fecha en que se sanciona con pompa la Constitución de Apatzingán, Morelos, que hacía tiempo se había fijado en Vicente Guerrero por su audacia, por su valor, por su decisión y por su lealtad, le extiende el nombramiento de coronel y le ordena levantar en armas a los pueblos de las costas Grande y Chica, así como extender la revolución en la provincia de Oaxaca, de cuya pérdida se dolía.

Es decir, Morelos le daba a Guerrero el mismo encargo que él había recibido años antes de Miguel Hidalgo, quizá viendo en Guerrero al digno sucesor de don Hermenegildo Galeana, de don Mariano Matamoros y de don Valerio Trujano, que para entonces ya habían caído en aras de la patria.

# Capítulo IV

## — Jefe de la insurgencia en el Sur —

C UANDO la estrella de Morelos comenzaba ya a eclipsarse y cuando la división entre los jefes de segundo orden era seguro presagio de la ruina de la causa insurgente, Vicente Guerrero pasaba de la clase de oficial subalterno, aunque ameritado, a la de general, y abría la tercera época de la terrible lucha de la independencia, esto es, la del desconcierto entre los patriotas, provenido no sólo de las desgracias de la guerra, sino también de la influencia que los cambios políticos acaecidos en Europa ejercían en el Nuevo Mundo.

Las desavenencias y los disgustos que ellas producían era parte muy eficaz para que se enfriase el entusiasmo de los insurgentes y se robusteciese la resistencia del Gobierno español. En estas circunstancias fue cuando Vicente Guerrero salió de Coahuayutla para Coyuca, llevando de Morelos el mismo encargo que éste recibiera antes de Hidalgo, esto es, el de derramar la revolución por todo el Sur.

Por septiembre de 1814, después de atravesar con un asistente una línea de ochenta leguas ocupada por destacamentos enemigos, Guerrero encontró fortificado a don Ramón Sesma en el centro de Tzilacayoapán. La aparición de Guerrero fue tan grata a los soldados insurgentes como desagradable a Sesma, quien con el objeto de alejar de un lado a un rival temible, le dio orden para que fuese a unirse con Rosains, a quien desde luego avisó, llevándose cincuenta hombres desarmados.

Guerrero marchó y, atravesando la línea enemiga de Acatlán, se dirigió a su destino; pero, sospechando de Sesma, se propuso examinar las comunicaciones que llevaba. Al llegar al río Jacachi encontró a don Francisco Leal, que era el comisionado que Sesma había mandado a Rosains; en su compañía leyó las cartas de Sesma y ambos encontraron pruebas de la perfidia, pues de Guerrero se decía que no se le diera mando alguno y que se le vigilase mucho, y de Leal, que era realista y adicto a Guerrero, ambas circunstancias incompatibles.

Como consecuencia de tal descubrimiento y de la noticia de que Sesma iba a perseguirle, Guerrero contramarchó al cerro de Papalotla, donde permaneció ocho días sin más armamento que dos escopetas y un fusil sin llave. Al cabo de ese tiempo apareció una sección enemiga de 700 hombres al mando de don José de la Peña, contra la cual era imposible luchar.

Sin embargo, Guerrero, librando su suerte a la temeridad misma de su acción, armó de garrotes a sus soldados, paso el río a nado en medio de las tinieblas de la noche y, arrojándose audazmente sobre el campo enemigo, mató a los que pudo, dispersó a otros y al amanecer se encontró con 400 prisioneros, varios fusiles y no poco parque, abriendo con tan felices auspicios la campaña militar y dando parte a Rosains, a quien pidió auxilios, sin más que esperanzas por respuesta y la orden de que se le reuniese, que por supuesto se guardó Guerrero se cumplir, seguro, como ya lo estaba, de la mala prevención de Rosains.

Como sabía que los realistas de la región no le perdían de vista, decidió fortificarse en un cerro próximo al pueblo de Tecomatlán. Andaban sus soldados en el pueblo proveyéndose de víveres, cuando una fuerza realista de 300 hombres al mando de don Félix de Lamadrid sorpresivamente entró, poniendo en apuros a sus habitantes y en desbandada a los soldados insurgentes. Al darse cuenta de la situación comprometida de su gente, don Vicente Guerrero, seguido solamente por el centinela y un tambor, se arrojó al encuentro de los realistas, dando oportunidad a que los dispersos regresaran en su auxilio para que, ya organizados, rechazaran a Lamadrid, el que al huir abandonó un cañón.

Buscando protegerse mejor, Guerrero se atrincheró en el cerro del Chiquihuite, donde nuevamente fue atacado por el mismo jefe realista, el que entonces capitaneaba más de mil hombres, pero saliendo otra vez derrotado.

Para esa época, Vicente Guerrero se había hecho temible en las Mixtecas Alta y Baja; operaba como jefe absoluto de ellas, pues lo reconocían como tal las tropas que capitaneaban Herrera, Sesma, Vázquez, los Teranes, Montes de Oca, Mexía, Elizardi y el temible Juan del Carmen. Hasta entonces Sesma y Rosains buscaron conciliación y cobijo en su prestigio, el que consiguieron sin reticencias del noble generoso jefe.

Guerrero dispuso entonces a sus fuerzas para recorrer todo el sur. Marchó entonces a Ometepec, hizo una buena fortificación en Tlamajalcingo, fundió varias piezas de artillería, arregló una maestranza, fabricó pólvora y engrosó su división con nuevos reclutas. Mandó después una expedición a Ometepec a las órdenes del coronel Juan del Carmen, que derrotó la primera partida que encontró, recorriendo en seguida todo el rumbo con el objeto de aumentar las fuerzas, como lo consiguió con muchos individuos, siendo el más notable don José Germán de Arroyes, que se pasó a las filas insurgentes con una compañía completa de realistas.

Durante la expedición del coronel Carmen, Vicente Guerrero hizo construir vestuarios, y uniformó y equipó su división lo mejor posible. Despachó por segunda vez a Carmen a expedicionar por el país y a su regreso le hizo reconocer por su segundo; y dejándole en Tlamajalcingo, marchó con una sección de infantería y una partida de caballería hacia Xonacatlán, donde supo que marchaban sobre él Lamadrid desde Izúcar y Armijo desde Chilapa.

En efecto, el primero se dirigió rápidamente y atacó a Guerrero con furor hasta llegar a la bayoneta, pero después de alguna lucha, en la que Guerrero manifestó la mayor serenidad y la más completa firmeza, Lamadrid fue rechazado con bastantes pérdidas y dejando no pocos prisioneros y armas.

Después de esta acción, Guerrero se dirigió al cerro del Alumbre, inmediato a Tlapa, lo atrincheró y, sabiendo que don Saturnino Samaniego conducía un convoy de Oaxaca para Izúcar, se apoderó de los principales puntos de la cañada de los Naranjos, salió muy de madrugada de Acatlán y antes del amanecer sorprendió a Samaniego y tomó el convoy. Derrotado completamente Samaniego, se dirigió a Izúcar, donde Lamadrid, también derrotado, reunía nuevas fuerzas.

Ambos jefes marcharon en seguida contra Guerrero, quien les esperó en Chinantla, cerca de Piaxtla. Le atacaron desde que rompió el día; la acción duró toda la noche, y la victoria se inclinó a favor de Guerrero, que obligó a sus oponentes a volverse a Izúcar.

Después de algunos encuentros pequeños, Guerrero determinó atacar a Tlapa, a cuyo efecto mandó al coronel Carmen a las inmediaciones de esa villa. El 20 de julio de 1815 le avisó Carmen que estaba a la vista del enemigo. Guerrero marchó rápidamente a auxiliarle, y llegó a la sazón en que comenzaba a empeñarse la lucha. Después de una porfiada resistencia, la victoria fue para Guerrero, cuyas tropas acabaron con las españolas, escapando uno que otro soldado.

En seguida se dirigió a Tlapa y, ocultando su marcha en la oscuridad de la noche, se acercó a la villa sin ser sentido y rompió el fuego al toque de diana, formando en el acto una línea de circunvalación para estrechar el sitio: durante veinte días permaneció sin dejar mover un instante a los realistas.

Habiendo interceptado el correo de Armijo, supo que este jefe realista debía marchar sobre Tlapa, ocupando la línea nombrada La Caballería. Guerrero en el acto se posesionó de ella a la vista del enemigo, sosteniendo algunas escaramuzas. Mas, advirtiendo que Armijo podía dirigirse a Tlapa por el camino de La Cruz, se colocó con cien hombres en la cima de la loma que forma este camino y dispuso que la tropa descansara.

Armijo sorprendió al campo de Guerrero a la madrugada, ocupó las trincheras y cargó a la bayoneta, matando algunos soldados insurgentes. Guerrero se acercó a dar fuego al cañón y se encontró con la infantería enemiga, tan cerca que un soldado le prendió el sombrero con la bayoneta mientras otros le disparaban a quemarropa, hasta el extremo de lastimarle el labio superior con el cañón de un fusil. Guerrero logró librarse de aquel riesgo, y aunque envuelto entre los enemigos, llamó a los suyos, mandándoles que hicieran uso del arma blanca.

Reanimándose a su voz de mando, y cargando fuertemente sobre las tropas del gobierno, a pesar de la tenaz resistencia que éstas opusieron, sus hombres las derrotaron completamente, haciendo huir a los pocos que quedaron, hasta Olinalá. El parte dado por Armijo y publicado en la *Gaceta* del 9 de diciembre prueba la importancia de esta acción, pues en medio de las frases oficiales, según las cuales nunca perdían los defensores del rey, se conoce el gran apuro en que se vio Armijo, que llamó encarnizados a aquellos rebeldes, y afirma que se batieron con denuedo y bizarría, obligándole a retirarse hasta el pueblo antes citado.

Apenas había terminado esta brillante jornada, Vicente Guerrero recibió orden de Morelos para que reuniera inmediatamente todas las fuerzas y se dirigiera a Izúcar, donde debían reunirse otras divisiones insurgentes para atacar Puebla. Muy a su pesar, pues tenía seguro el triunfo en Tlapa, como lo revela el mismo Armijo, Guerrero levantó el sitio y, reuniendo sus fuerzas, marchó a encontrar a Morelos, cuya prisión supo en el camino, encontrándose por consiguiente a la cabeza de una gran parte de lo que se podía llamar ejército nacional. Cumpliendo lealmente sus deberes militares, Guerrero dejó escapar un laurel seguro; y ocupando en seguida el puesto que la suerte le designó, dio escolta al Congreso hasta Tehuacán con una fidelidad y honradez sorprendentes.

De Tehuacán marchó para el campo de Xonacatlán, donde recibió la noticia de la disolución del Congreso y una invitación del general Terán para que reconociese a su gobierno revolucionario. Guerrero se negó abiertamente, porque su conciencia republicana no toleraba la idea de aquella violenta usurpación. También se negó a tomar parte con Terán en la expedición sobre Oaxaca, y marchó sobre Acatlán, que estaba a las órdenes del conde de la Cadena.

Terán y Sesma se presentaron a auxiliar a Guerrero en una acción militar que duró cuatro días. Después de estos combates, Guerrero derrotó dos veces a Lamadrid, primero a las orillas del río Xipotla y después en Huamaxtlán.

Sin embargo, la revolución declinaba; y con la muerte por fusilamiento de Morelos, el año 1816 fue ya de casi completo desconcierto. En noviembre sufrió Vicente Guerrero un fuerte descalabro en la cañada de los Naranjos, donde se había fortificado para atacar a Samaniego, que conducía un convoy para Acatlán. El jefe español forzó el paso e hizo huir a la tropa de Guerrero, quien corrió grave riesgo y tuvo muchos muertos y heridos.

El 16 de noviembre, Guerrero tuvo otro encuentro con Samaniego y Lamadrid en el cerro de Paxtla; y aunque no de grandes resultados, fue favorable el éxito del jefe insurgente, pues los realistas fueron dispersados y obligados a volver a Izúcar.

Por aquellos días los diputados del Congreso eran perseguidos tenazmente por el coronel realista Agustín de Iturbide, comisionado por el Gobierno español para que verificara su aprehensión. Para escapar al acoso, se decidió el traslado de los diputados de la provincia de Valladolid a Tehuacán, en donde se esperaba recibir armas y pertrechos procedentes de Estados Unidos.

Se comisionó a Morelos para que ejecutara este absurdo proyecto en que era obligado recorrer una distancia de ciento cincuenta leguas, atravesando campos ocupados por el ejército español. El propio Morelos hizo notar lo descabellado del procedimiento de dar al Congreso toda la autoridad y de hacer tal travesía. Con su gran visión militar ordenó, como medida de protección al Congreso, que varias partidas insurgentes se movieran estratégicamente para desconcertar al enemigo, pero algunos por indisciplina, otros porque no recibieron a tiempo las órdenes, no estuvieron puntuales a la cita y no se llevó a cabo completo el plan.

La idea era que Guerrero ocupara la región de Atenango del Río Bravo, Páez e Irrigaray con sus ochocientos hombres se concentraran primero en Huetamo y posteriormente se unieran a Lobato, quien con sus doscientos hombres constituiría la escolta del Congreso; Vargas se acercaría a Taxco y Sesma y Terán al río de Mezcala, en la zona que hoy constituyen los límites de los estados de Guerrero y Puebla; por último, Osorio amenazaría la ciudad de Puebla.

El Congreso se movió de Uruapan a Huetamo; pasó por Cutzamala, Tlalchapa y Poliutla; de acuerdo con el plan preconcebido, siguió las márgenes del río Balsas y para el 3 de noviembre llegaba a Texmalaca. En tanto, el virrey Calleja había comisionado a Concha para que persiguiera a Morelos y lo capturara vivo o muerto. Además, los realistas habían dividido sus fuerzas en una operación envolvente: el coronel Eugenio Villasana se estacionaría en Teloloapan; Claverino, al frente de quinientos hombres, fue enviado a la Boca de Zacatula; el coronel José Gabriel Armijo permanecería en Tixtla; las fuerzas de Toluca, Cuernavaca y Cuautla se moverían simultáneamente hacia el sur, y el coronel Monday tomaría Chalco.

Por otra parte, el 2 de noviembre habían logrado contacto en el pueblo de Sasamulco los realistas Concha y Villasana, quienes se movían tratando de acercarse a la ruta que seguía el Congreso, que se encaminaba hacia Atenango. Morelos, sintiéndose perseguido, giró órdenes a Terán, a Sesma y a Vicente Guerrero para que avanzaran a su encuentro, pero los dos primeros o no le obedecieron, o no recibieron la orden. Guerrero, por su parte, se movilizaba constantemente, unas veces eludiendo la persecución, otras atacando.

Forzando la marcha, Guerrero hace lo indecible por llegar al lugar donde se encontraba Morelos, pero llegó tarde con el auxilio. Salían los insurgentes dirigidos por Morelos de Texmalaca cuando el encuentro con el enemigo se hizo inevitable y, si el combate primero fue con idénticas perdidas para ambos bandos, al final se convirtió en sangrienta derrota para las tropas de Morelos, las cuales no sólo perdieron sus valiosos equipajes donde llevaban el archivo, sino también a su máximo jefe, salvándose milagrosamente el Congreso a cambio del sacrificio de Morelos.

Al conocer la desgracia, Vicente Guerrero se presentó con gran sentimiento al coronel Ramón de Sesma, ofreciendo sus servicios para escoltar al Congreso hasta Tehuacán.

Reanimados por la muerte de Morelos, los realistas redoblaron la persecución de las distintas partidas insurgentes, demostrando mayor encono con las tropas de Guerrero, el que, acosado por todas las tropas españolas de la región, decide regresar a su conocido y respetable bastión del cerro de la Concepción, donde intentó resistir el acoso militar realista en una larga y desigual batalla que le causó grandes pérdidas en soldados y equipo, y que finalmente le obligó a emprender la retirada. Con estos hechos de armas terminaba, de acuerdo con las crónicas de la época, la segunda etapa de la lucha insurgente y se iniciaba quizá la más cruel, la más incierta y, para fortuna de México, la final.

## Capítulo V

— La patria es primero —

Q UIZÁ el año más adverso para la insurgencia mexicana fue el de 1816. Desaparecido Morelos, el gran soldado y visionario, y establecido el Congreso en Tehuacán, arbitrariamente fue disuelto por don Manual Mier y Terán, intentado sustituirlo por un Directorio Ejecutivo compuesto de tres miembros y formado por el propio Terán, don Ignacio Alas y Cumplido, organismo que prácticamente no llegó a funcionar, ni fue reconocido ni obedecido por nadie. Alas y Cumplido, más bien en calidad de prisioneros que de gobernantes, se separaron, yéndose a Valladolid, disolviéndose el gobierno emanado del motín militar de Tehuacán. La torpe medida de Terán fue rechazada y desaprobada por Vicente Guerrero y Guadalupe Victoria, por considerarla indigna.

Poco tiempo después de morir Morelos, los efectivos insurgentes sumaban unos veintisiete mil hombres en todas las guerrillas que operaban en el país, calculándose que de ellos nueve mil portaban armas de fuego; el resto traía espadas, lanzas, machetes y hasta flechas, como la gente de don Julián de Ávila, que operaba en Zacatula. Unos doscientos cañones de todos los calibres, desde obuses hasta culebrinas de madera forradas de cuero, y algunos cañones fundidos por los mismos insurgentes formaban la disímbola artillería con que contaban los revolucionarios.

Para proseguir la lucha, por gente y entusiasmo no quedaba. Pero... ¿a quién reconocerían como jefe único? ¿A Vicente Guerrero? ¿A Guadalupe Victoria? ¿A Bravo? ¿A Terán? Todos eran valientes y leales a la causa, pero ninguno tenía el prestigio de Morelos, el genio desaparecido, ni la personalidad suficiente para imponerse a los caudillos del interior y unificar la acción. Sin embargo, lo importante era que la llama de la esperanza se conservaba y que, en ocasiones derrotando, en ocasiones derrotados, en todo el país había inconformes.

Del lado español, los contingentes realistas, todos bien armados, sumaban casi 39.500 soldados de línea, más los realistas de los pueblos organizados y armados por el propio gobierno. Un informe del obispo Abad y Queipo, enviado al rey de España el 20 de septiembre de 1816, aseguraba que los peninsulares contaban por aquellos días con un total de 80.000 hombres para prolongar la estadía del poder español en la América septentrional.

Durante los primeros días de 1817, las victorias realistas eran muy frecuentes sobre los desalentados insurgentes, máxime que la clemencia del virrey concedía fácilmente el indulto. Así, se rindieron los defensores insurgentes de la isla de Mezcala en el lago de Chapala; cayó Boquilla de Piedra, puerto de la lejana Veracruz, por donde se introducían armas y municiones; se rindió el cerro del Cóporo; en Tehuacán capituló Mier y Terna; se indultó al célebre guerrillero Osorno, que operaba por los Llanos de Apam. Aquel panorama hacía ver pacificada totalmente la Nueva España. Pero no era así. El indomable Vicente Guerrero en el sur no cejaba en su empeño: ver libre a México del dominio español.

Por aquellos días Guerrero avanzaba hacia Azoyu, donde rechazó uno a uno los ataques sucesivos de los comandantes realistas Reguera y Zavala. En este pueblo se asegura que Guerrero recibió una carta de Sesma, donde éste le comunicaba la capitulación de Mier y Terán; al mismo tiempo, éste escribía a Sesma participándole que el padre de don Vicente Guerrero llevaba la comision del virrey de ofrecerle a su hijo el indulto. ¿Fue aquella enternecedora entrevista entre padre e hijo en Poliutla como la tradición de los habitantes de aquel pueblo lo asegura? ¿Fue cerca del pueblo de Jaliaca donde también la gente de la región lo afirma?

De acuerdo con las crónicas de la época, el Gobierno español estaba convencido de que los medios ordinarios no bastaban para someter a Guerrero, por lo que decidió apelar a la naturaleza y comprometió al padre del insurgente mexicano para que interpusiese sus respetos y su amor para que cediese Guerrero, a quien se hacían grandes promesas.

—Si aceptas y te retiras de esta guerra cruel, el Gobierno español te concederá el indulto, te reconocerá el grado militar de general que has alcanzado, podrás vivir tranquilo y desterrarás de nosotros la inquietud por la suerte que puedas correr —le dijo su padre a Vicente Guerrero en una conversación que se tornó acalorada cuando padre e hijo abordaron la situación del jefe insurgente frente al gobierno virreinal.

—Aunque los hombres pasan, las ideas perduran. La patria me necesita. Esta causa no es mía, sino de todos los que amamos la libertad —le respondió Guerrero a su padre.

El padre, dispuesto a alcanzar su propósito, cae postrado a los pies de su hijo y nuevamente le pide que abandone la lucha. Guerrero, sin inmutarse, acaricia tiernamente la plateada cabellera de don Pedro, su padre, dirige su mirada melancólica al grueso de soldados que le rodean y con firme voz les dice:

—Soldados: ¿Veis a este anciano respetable? Es mi padre; viene a ofrecerme empleos y recompensas en nombre de los españoles; yo le he respetado siempre, pero «MI PATRIA ES PRIMERO».

Después, un leve crujir de la hojarasca arrastrada por la brisa, los tibios rayos del sol opacados por la arboleda, las potentes pisadas de una bestia que retornaba por el mismo camino y un corazón rebosante de alegría en el limpio pecho de aquel padre que, al final de cuentas, regresaba orgulloso de tener a un verdadero hombre por hijo. La lucha seguiría su curso, como un aluvión desbordándose sobre su cauce insuficiente; presurosa, como si se angustiara por llegar tarde a su desembocadura.

Patriota verdadero, aunque hijo obediente, Guerrero resistió las suplicas de su padre y, viéndose aislado, pues el indulto del mismo Sesma hacía ya muy peligrosa su situación por aquellos rumbos, se internó por la Mixteca, disponiendo que el atrevido coronel insurgente Juan del Carmen ocupara Xonacatlán.

En febrero de 1817, reunidas varias secciones del gobierno, sitiaron a Xonacatlán y, después de una resistencia gloriosa, lo tomaron, muriendo entre otros muchos insurgentes el temible coronel Juan del Carmen. Los pocos que escaparon se dirigieron en busca de Guerrero, que tan infeliz como sus compañeros se vio en la necesidad de retroceder. La desgracia de Xonacatlán amedentró a muchos, que o desertaron o se acogieron al indulto; y como nunca faltan traidores, hubo algunos que, separados de las filas de Guerrero, se convirtieron en espías del ejercito realista, causando así terribles daños al jefe insurgente mexicano, tanto por el conocimiento del terreno como por el sistema que acostumbraba a seguir Guerrero en sus operaciones militares.

La caída de Xonacatlán puede considerarse como uno de los últimos actos de la primera guerra de independencia; y desde entonces debe datarse la última época de esa lucha terrible, cuya gloria es exclusiva del general Vicente Guerrero.

La muerte de Morelos, Matamoros y Mina; la prisión de Bravo y Rayón, y el indulto de Terán y otros jefes, había derramado el desaliento y el pavor en toda la Nueva España, que, aunque más cercana que nunca a la libertad, continuaba gimiendo por sus ataduras con la metrópoli. Sólo un hombre quedó en pie en medio de tantas ruinas; una sola voz se escuchó en medio de aquel silencio.

Guerrero, abandonado por la fortuna muchas veces, traicionado por algunos de los suyos, sin dinero, sin armas, sin elementos de ningún genero, se presenta en aquel periodo de desolación como el único mantenedor de la sagrada causa de la independencia. Es en este periodo en el que más brillan las dotes del general Guerrero; su valor, su prudencia, su activismo, su profunda sagacidad, su consumada práctica en la guerra especial que tenía que hacer y, sobre todo, su heroica constancia y su inalterable decisión, tanto por la independencia como por el sistema republicano.

Solo, sin rival en esta época de luto, Guerrero mantuvo viva entre las montañas del sur aquella chispa del casi apagado incendio de Dolores, combatiendo sin tregua al poder colonial, cuyos himnos de victoria eran frecuentemente interrumpidos por el eco amenazador de las fuerzas insurgentes. Guerrero era el recuerdo de la generación que acababa y la esperanza de la que iba a nacer.

¿Qué importaban en ese momento la pobre cuna o la ignorancia de ese humilde hijo del pueblo? En nombre de la patria y con la espada en la mano, aquel soldado oscuro se había elevado al nivel de los más famosos capitanes; porque sólo el valor señala los puestos en el campo de batalla; y Guerrero había ganado uno a uno todos sus títulos y escalado todas las gradas de la escala social de su tiempo.

## Capítulo VI

### — La consumación de la Independencia —

DESPUÉS del desastre de Xonacatlán, Guerrero comenzó de nuevo, como en 1814, a formar una pequeña sección, que poco a poco fue aumentando aunque siempre bajo el asedio y la implacable persecución realista. Volvió a internarse en la sierra y aunque en enero de 1818 llegó a la Costa Grande acompañado sólo de cinco hombres, al mes siguiente logró reunirse con Montes de Oca y otros jefes, y organizar de nuevo algunas fuerzas, con las cuales derrotó en Cupándiro el 4 de marzo una sección realista que mandaba don Ignacio Ocampo.

Tomado el 6 de marzo el fuerte de Xauxilla, Guerrero fue proclamado general en jefe del Sur, y con este carácter dictó varias disposiciones y volvió a organizar sus fuerzas. Pero la traición de algunos le cerró el paso de nuevo y estuvo a punto de perderle. Los que habían ofrecido a los realistas cortar la retirada a Guerrero fueron capturados y fusilados, pero las tropas españolas dirigidas por Armijo continuaron la persecución de Guerrero, al punto que el insurgente mexicano se vio obligado a andar oculto varios días, careciendo hasta de alimento, en compañía de unos cuantos soldados, trepando por los riscos, atravesando ríos y padeciendo en suma toda suerte de infortunios.

Sin embargo, remontándose unas veces, emboscándose otras y burlando siempre al enemigo, Guerrero consiguió presentarse de nuevo ante Armijo de una manera respetable en las orillas de Zacatula. Reducido a la costa de Coahuayutla, pero sin sufrir el acoso de Armijo, que se ocupó en perseguir a otros jefes insurgentes, Guerrero siguió reorganizando sus fuerzas, atacó en Tamo a Armijo el 15 de septiembre de 1818 y obtuvo su más completa victoria, pudiendo con el armamento que tomó al enemigo surtir su división, fuerte ya de 1.800 hombres.

Entonces comenzó sus operaciones militares con la toma de Axuchitlán, batiendo sucesivamente al enemigo en Coyuca, Santa Fe, Tetela del Río, Cutzamala, Huetamo, Tlalchapa y Cuaulotitlán, proporcionándose nuevos recursos para continuar la guerra con mayores probabilidades.

La estrella de Guerrero siguió brillando durante el año 1819. En 1820 el restablecimiento de la Constitución española produjo en México un cambio favorable a la causa de la independencia. Guerrero era ya un general de gran prestigio, su ejército era una fuerza respetable que dominaba todo el sur del país.

En suma, Guerrero era el digno sucesor de Morelos, adiestrado por la experiencia, probado por la adversidad y admirado por su humanidad, su constancia y la nobleza de sus acciones. La Revolución renacía de sus cenizas, purificada con la sangre de tantas víctimas y robustecida con el rápido progreso que las ideas liberales habían alcanzado en la Nueva España.

En tales circunstancias fue nombrado comandante general realista en el sur el coronel don Agustín de Iturbide, con la misión de capturar a Guerrero, pidiendo sin cesar recursos al Gobierno que a la postre servirían para otra mejor causa. Hubo algunos choques de importancia, favorables a Guerrero, a quien al fin dirigió Iturbide una carta el 10 de enero de 1821 en la cual le invitaba a conferenciar con él, e indicando la probabilidad de que los diputados que habían ido a España consiguieran la venida del rey o de alguno de sus hermanos, con lo cual se conseguiría la felicidad del país.

Esta carta abría la negociación, destruyendo uno de los obstáculos que separaban a los partidos: la administración colonial. Más Guerrero, que entendía poco de diplomacia y marchaba rectamente al fin, obligó a Iturbide a declararse dirigiéndole la siguiente contestación:

*«Señor don Agustín de Iturbide.—Muy señor mío: Hasta esta fecha llegó a mis manos la atenta carta de usted, de 10 del corriente y como en ella me insinúa, que el bien de la patria y el mío le han estimulado a ponérmela, manifestaré los sentimientos que me animan a sostener mi partido.*

*Como por la referida carta descubro en usted algunas ideas de libertad, voy a explicar las mías con franqueza, ya que las circunstancias van proporcionando la ilustración de los hombres, y desterrando aquellos tiempos de terror y barbarismo, en que fueron envueltos los mejores hijos de este desgraciado pueblo.*

*Comencemos por demostrar sucintamente los principios de la revolución, los incidentes que hicieron más justa la guerra y obligaron a declarar la independencia.*

*Todo el mundo sabe que los americanos, cansados de promesas ilusorias, agraviados hasta el extremo, y violentados por último de los diferentes gobiernos de España, que levantados entre el tumulto uno de otro, sólo pensaron en mantenernos sumergidos en la más vergonzosa esclavitud y privarnos de las acciones que usaron los de la Península para sistemar su gobierno, durante la cautividad del rey, levantaron el grito de libertad bajo el nombre de Fernando VII, para sustraerse sólo de la opresión de los mandarines. Se acercaron nuestros principales caudillos a la capital, para reclamar sus derechos ante el virrey Venegas, y el resultado fue la guerra. Éstas no la hicieron formidables desde sus principios, y las represalias nos precisaron a seguir la crueldad de los españoles.*

*Cuando llegó a nuestra noticia la reunión de las Cortes de España, creíamos que calmarían nuestra desgracia en cuanto se nos hiciera justicia. ¡Pero qué vanas fueron nuestras esperanzas! ¡Cuán dolorosos desengaños nos hicieron sentir efectos muy contrarios a los que nos prometíamos! Pero ¿cuándo y en qué tiempo?*

*Cuando agonizaba España, cuando oprimida hasta el extremo por un enemigo poderoso, estaba próxima a perderse para siempre, cuando más necesitaba de nuestros auxilios para su regeneración, entonces... entonces descubren todo el daño y oprobio con que siempre alimentan a los americanos; entonces declaran su desmesurado orgullo y tiranía; entonces reprochan con ultraje las humildes y justas representaciones de nuestros diputados; entonces se burlan de nosotros y echan el resto a su iniquidad: no se nos concede la igualdad de representación, ni se quiere dejar de conocernos con la infame nota de colonos aun después de haber declarado a las Américas parte integral de la monarquía.*

*Horroriza una conducta como ésta, tan contraria al derecho natural, divino y de gente. ¿Y qué remedio? Igual debe ser a tanto mal. Perdimos la esperanza del último recurso que nos quedaba, y estrechados entre la ignominia y la muerte, preferimos ésta, y gritamos: independencia y odio eterno a aquella gente dura. Lo declaramos en nuestros periódicos a la faz del mundo; y aunque desgraciados y que no han correspondido los efectos a los deseos, nos anima una noble resignación, y hemos protestado ante las aras del Dios vivo ofrecer en sacrificio nuestra existencia, o triunfar y dar vida a nuestros hermanos.*

*En este número está usted comprendido. ¿Y acaso ignora algo de cuanto llevo expuesto? ¿Cree usted que los que en aquel tiempo en que se trataba de su libertad y decretaron nuestra esclavitud nos serán benéficos ahora que la han conseguido, y están desembarazados de la guerra? Pues no hay motivo para persuadirse que ellos sean tan humanos. Multitud de recientes pruebas tiene usted a la vista; y aunque el transcurso de los tiempos le haya hecho olvidar la afrentosa vida de nuestros mayores, no podrá ser insensible a los acontecimientos de estos últimos días. Sabe usted que el rey identifica nuestra causa con la de la Península, porque los estragos de la guerra, en ambos hemisferios, le dieron a entender la voluntad general del pueblo; pero véase cómo están recompensados los caudillos de ésta, y la infamia con que se pretende reducir a los de aquélla.*

*Dígase: ¿qué causa puede justificar el desprecio con que se miran los reclamos de los americanos sobre innumerables puntos de gobierno, y en particular, sobre la falta de representación en las Cortes? ¿Qué beneficio le resulta al pueblo cuando para ser ciudadano se requieren tantas circunstancias, que no pueden tener la mayor parte de los americanos?*

*Por último, es muy dilatada esta materia, y yo podría asentar multitud de hechos que no dejarían lugar a la duda; pero no quiero ser tan molesto, porque usted se halla bien penetrado por estas verdades, y advierto de que cuando todas las naciones del universo están independientes entre sí, gobernadas por los hijos de cada una, sólo la América depende afrentosamente de España, siendo tan digna de ocupar el mejor lugar en el teatro universal.*

*La dignidad del hombre es muy grande; pero ni ésta, ni cuanto pertenece a los americanos, han sabido respetar los españoles. ¿Y cuál es el honor que nos queda dejándonos ultrajar tan escandalosamente? Me*

*avergüenzo al contemplar sobre este punto, y declamaré eternamente
contra mis mayores y contemporáneos que sufren tan ominoso yugo.*

*He aquí demostrado brevemente cuanto puede justificar nuestra
causa, y lo que llenará de oprobio a nuestros opresores. Concluyamos con
que usted equivocadamente ha sido nuestro enemigo, y que no han per-
donado medios para asegurar nuestra esclavitud; pero si entra en conferencia consigo mismo, conocerá que, siendo americano, ha obrado mal,
que su deber le exige lo contrario, que su honor le encamina a empresas más dignas de su reputación militar, que la patria espera de usted
mejor acogida, que su estado le ha puesto en las manos fuerzas capaces
de salvarla y que, si nada de esto sucediere, Dios y los hombres castiga-
rán su indolencia.*

*Estos a quienes usted reputa por enemigos, están distantes de serlo,
pues que se sacrifican gustosos por solicitar el bien de usted mismo; y si
alguna vez manchan sus espadas en la sangre de sus hermanos, llorarán
su desgraciada suerte porque se han constituido sus libertades y no sus
asesinos; mas la ignorancia de éstos, la culpa de nuestros antepasados y
la más refinada perfidia de los hombres nos han hecho padecer males
que no debiéramos, si en nuestra educación varonil nos hubiesen inspirado el carácter nacional.*

*Usted y todo hombre sensato, lejos de irritarse con mi rústico dis-
curso, se gloriarán de mi resistencia, y sin falta de la racionalidad, a la
sensibilidad y a la justicia, no podrán redargüir a la solidez de mis ar-
gumentos, supuesto que no tienen otros principios que la salvación de
la patria, por quien usted se manifiesta interesado. Si esto inflama a usted, ¿qué, pues, hace retardar el pronunciarse por la más justa de las
causas?*

*Sepa usted distinguir, y no confunda; defienda sus verdaderos de-
rechos y esto le labrará la corona más grande; entienda usted, que yo*

*no soy el que quiero dictar leyes, ni pretendo ser tirano de mis seme-jantes; decídase usted por los verdaderos intereses de la nación, y en-tonces tendrá la satisfacción de verme militar a sus órdenes, y conoce-rá un hombre desprendido de la ambición e interés, que sólo aspira a sustraerse de la opresión, y no a elevarse sobre las ruinas de sus com-patriotas.*

*Ésta es mi decisión, y para ello cuento con una regular fuerza dis-ciplinada y valiente, que a su vista huyen despavoridos cuando tra-tan de sojuzgarla; con la opinión general de los pueblos que están de-cididos a sacudir el yugo o morir, y con el testimonio de mi propia conciencia, que nada teme cuando por delante se le presenta la justi-cia en su favor.*

*Compare usted que nada me sería más degradante, como el con-fesarme delincuente y admitir el perdón que ofrece el gobierno, con-tra quien he de ser contrario hasta el último aliento de mi vida; más no me desdeñaré de ser un subalterno de usted en los términos que digo, asegurándole que no soy menos generoso y que con el mayor pla-cer entregaría en sus manos el bastón con que la nación me ha con-decorado.*

*Convencido, pues, de tan terribles verdades, ocúpese usted en bene-ficio del país donde ha nacido, y no espere el resultado de los diputados que marcharon a la Península; porque ni ellos han de alcanzar la gra-cia que pretenden, ni nosotros tenemos necesidad de pedir por favor lo que se nos debe de justificar, por cuyo medio veremos prosperar este fér-til suelo y nos eximiremos de los gravámenes que nos causa el enlace con España.*

*Si en ésta, como usted me dice, reinan las ideas más liberales que conceden a los hombres todos sus derechos, nada le cuesta en este caso el dejarnos a nosotros el uso libre de todos los que nos pertenecen, así como* nos lo usurparon el dilatado tiempo de tres siglos. Si generosamente nos dejan emancipar, entonces diremos que es un gobierno benigno y liberal; pero si como espero, sucede lo contrario, tenemos valor para conseguirlo con la espada en la mano.

Soy de sentir que lo expuesto es bastante para que usted conozca mi resolución y la justicia en que me fundo, sin necesidad de mandar sujeto a discurrir sobre propuestas ningunas, porque nuestra única divisa es libertad, independencia o muerte.

Si este sistema fuese aceptado por usted, confirmaremos nuestras relaciones; me explayaré algo más, combinaremos planes, y protegeré de cuantos modos sean posible sus empresas; pero si no se separa del constitucional de España, no volveré a recibir contestación suya, ni verá más letra mía. Le anticipo esta noticia para que no insista ni me note después de impolítico; porque ni me ha de convencer nunca a que abrace el partido del rey, sea el que fuere, ni me amedrentan los millares de soldados, con quien estoy acostumbrado a batirme. Obre usted como le parezca, que la suerte decidirá y me será glorioso morir en la campaña, que rendir la cerviz al tirano.

Nada es más compatible con su deber que el salvar la patria, ni tiene otra obligación más forzosa. No es usted de inferior condición que Quiroga, ni me persuado que dejara de imitarle, osando emprender como el mismo aconseja. Concluyo con asegurarle que la nación está para hacer una explosión general, que pronto se experimentarán sus efectos; y que me será sensible perezcan en ellos los hombres que, como usted, deben ser sus mejores brazos.

He satisfecho el contenido de la carta de usted, porque así lo exige mi crianza; y le repito que todo lo que no sea concerniente a la total independencia, lo demás lo disputaremos en el campo de batalla.

*Si alguna feliz mudanza me diere el gusto que deseo, nadie me competirá la preferencia en ser su más fiel amigo y servidor, como lo protesta su atento Q. S. M. B.—Vicente Guerrero.—Rincón de Santo Domingo, a 20 de enero de 1812.»*

Iturbide contestó a Guerrero lo siguiente desde Tepecoacuilco el día 4 de febrero:

*«Estimado amigo: No dudo en darle a usted este título, porque la firmeza y el valor son las cualidades primarias que constituyen el carácter del hombre de bien, y me lisonjeo de darle a usted en breve un abrazo que confirme mi expresión.*

*Es deseo que es vehemente. Me hace sentir que no haya llegado hasta hoy a mis manos la apreciabilísima de usted de 20 del próximo pasado; y para evitar estas morosidades como necesarias en la gran distancia, y adelantar el bien con la rapidez que debe ser, envío a usted al portador, para que le dé por mí las ideas que sería muy largo explicar con la pluma; y en este lugar sólo aseguraré a usted que, dirigiéndonos usted y yo a un mismo fin, nos resta únicamente acordar por un plan bien sistematizado, los medios que nos deben conducir indudablemente y por el camino más corto. Cuando hablemos usted y yo, se asegurará de mis verdaderos sentimientos.*

*Para facilitar nuestra comunicación me dirigiré luego a Chilpancingo, donde no dudo que usted se servirá a acercarse, y que más haremos sin duda en media hora de conferencia, que en muchas cartas.*

*Aunque estoy seguro de que usted no dudará un momento de la firmeza de mi palabra, porque nunca di motivo para ello, pero el portador de ésta, don Antonio Mier y Villagómez, la garantizará a satisfacción de usted, por si hubiese quien intente infundirle la menor desconfianza.*

*A haber recibido antes la citada de usted, y haber estado en comunicación, se habría evitado el sensibilísimo encuentro que usted tuvo con el teniente coronel don Francisco Antonio Berdejo, el 27 de diciembre, porque la pérdida de una y otra parte lo ha sido, como usted escribe a otro intento a dicho jefe, pérdida para nuestro país. Dios permita que haya sido la última.*

*Si usted ha recibido otra carta que con fecha de 16 le dirigí desde Cunacanotepec, acompañándole otra de un americano de México, cuyo testimonio no debe serle sospechoso, no debe dudar que ninguno en la Nueva España es más interesado en la felicidad de ella, ni la desea con más ardor que su muy afecto amigo que ansía comprobar con obras esta verdad, y S. M. B.—Agustín de Iturbide.—Sr. Don Vicente Guerrero.»*

Consecuencia de estas contestaciones fue la entrevista que ambos jefes tuvieron en el pueblo de Acatempan, donde Guerrero cedió el mando a Iturbide como nuevo general del ejército independiente. Algunos historiadores coinciden en señalar que reconocer por jefe al más encarnizado de sus enemigos, al más robusto apoyo del gobierno español, al que por tantos años había derramado la sangre de los mexicanos, y reconocerle sin más garantía que su palabra de honor, fue, preciso es confesarlo, una acción eminentemente heroica, y que pocos ejemplos habrá en la historia.

Aquella generosa abdicación, aquella voluntaria obediencia, prueban la grandeza de alma de Guerrero, que todo lo olvidaba, orgullo, resentimientos, honores, gloria, ambición, poder, todo, ante el servicio de la patria. Para valorar la extensión de este sacrificio es indispensable recordar aquella lucha de once años, en que día por día, y hora por hora, había visto Guerrero a Iturbide en las filas de los opresores; aquellas escenas terribles en que ambos habían sido actores y los peligros corridos y la sangre derramada en los campos y en los patíbulos, y el hambre, y la sed. Sólo el amor a la patria, y un temple de alma muy particular, pudieron ser fundamentos de tan noble acción.

Guerrero no sólo puso a disposición de Iturbide su persona y su ejército, sino su nombre, su gloria y su influencia; elementos más fecundos que el número de los soldados, y que armaron el brazo del primer jefe con un poder irresistible. Guerrero, representando toda una época de sacrificios, era la garantía más completa de la sociedad mexicana, que no podía temer un engaño, viendo unido al nuevo caudillo —Iturbide— con un hombre —Guerrero—, a cuyos pies se habían estrellado, sin quebrantar la firmeza de su corazón, la desgracia con todos sus horrores y la seducción con todos sus halagos.

# Capítulo VII

## — Una jugada maestra —

**P**ARA entender estos acontecimientos debe señalarse que tres etapas fueron las que caracterizaron el movimiento de independencia de 1810, cada una de ellas encarnada en la figura del principal dirigente de su momento: Miguel Hidalgo y Costilla, el iniciador; José María Morelos y Pavón, el continuador, y Vicente Guerrero, el consumador.

La última de estas etapas, coincidente con un paulatino reflujo del movimiento de independencia, tuvo el significado histórico de haber conducido a los insurgentes mexicanos a una situación límite de posibilidades —en las que, por supuesto, no cupo la de poder derribar el sistema virreinal— y, con una estrategia meditadamente calculada, previo el abandono de la línea programática en que se sustentaba, incorporarla a otro proyecto político, el denominado *Plan de Iguala,* puesto en marcha para consumar lo que siempre soñó Vicente Guerrero: concretar su idea independentista de la Nueva España.

No debe olvidarse que, incorporado a las filas de Morelos en los inicios de la primera campaña militar de éste, hasta 1814 Guerrero tuvo escasas oportunidades de desplegar sus iniciativas personales y de ensayar su propia estrategia. Pero en ese año, al sobrevenir los grandes desastres en que se hundió el prestigio militar de Morelos, y ser ya imposible organizar campañas frontales, Morelos mismo

aconsejó la táctica de la guerrilla y la multiplicación de focos forti-
ficados de resistencia.

Era la alternativa que Guerrero esperaba. Porque durante los siguientes seis años, a medida que iban sucumbiendo uno a uno los
jefes y los núcleos revolucionarios, Guerrero, empecinado y astuto,
indoblegable y eficaz combatiente, mantuvo viva en el Sur la causa
de la independencia.

Casi todos los historiadores usan el término «invicto» para cali-
ficar al Vicente Guerrero de esos años, mismo que no se puede apli-
car ni a Hidalgo ni a Morelos, capturados por el enemigo español y
muertos frente a un pelotón de fusilamiento. Pero el término «invicto» no implica necesariamente el de «vencedor».

Aquella guerra de guerrillas, heroica y desesperada, se consumía
en su propio reducido ámbito geográfico, marginal con respeto al
cuerpo entero del país. Guerrero no era vencido; sólo se le compri-
mía y reducía a no salir del hábitat que, con fortuna diversa, él dominaba. Ello explica que hacia mediados de 1819, con fines propa-
gandísticos aunque también apoyado en fondo de verdad, el entonces
virrey Apodaca informara a Fernando VII que la revolución de Nueva
España se hallaba casi extinguida. Pero ese casi —que quería decir
la guerrilla de Guerrero— cobraría un significado político importante, apenas unos cuantos meses después de aquel optimista informe.

Por lo demás, y para entender el cambio que se operó en Vicente
Guerrero en 1820, conviene señalar algunas constantes de su pen-
samiento político (teórico y práctico) a lo largo de su militancia insurgente. Desde luego, tan pronto como lo supo, se adhirió al movimiento demoledor de Hidalgo; pero, más cercano a Morelos, fue
de éste de quien recibió el mayor y más preciso adoctrinamiento.

En 1813 hace suyos los «Sentimientos de la Nación», documento
proclamado por Morelos, y se convierte en uno de los más fieles defensores del Congreso. Sustentaba la tesis, infrecuente entre los mi-

litares afortunados, de que las causas se consolidan y se ganan, menos en el terreno de las armas que en el de los principios.

Guerrero respaldó cuanto pudo, frente a las ambiciones y los atentados de varios de sus colegas —uno de ellos, el prestigiado a la par que decepcionante doctor José María Cos—, la autoridad legal y moral de los Supremos Poderes de Apatzingán, de Puruapán, de las Juntas de Taretan y de Jaujilla, y de la escuálida y perseguida Junta de Zárate —último y patético epígono del Instituto de Chilpancingo—, a la que brindó cobijo, recursos y protección.

Cuando Mier y Terán disolvió brutalmente el Congreso en Tehuacán, Guerrero no sólo se negó a secundarlo, sino que protestó y rompió con él. Creía —y predicaba con el ejemplo— en el gobierno civil, no en el militarismo como sistema (tradición saludable que, entre paréntesis, salvaría a México de caer en las aberraciones castrenses padecidas después por tantas naciones de la comunidad iberoamericana).

Finalmente, a mediados de 1819, frente a la anarquía y atomización de los grupos guerrilleros y la falta de un centro coordinador que pudiera hacerse respetar, Guerrero lanza un desesperado proyecto, de recomposición revolucionaria, con la mira de salvar el movimiento de independencia. Esencialmente consistía en aglutinar las fuerzas inconexas, reorganizar el gobierno y afirmar la línea ideológica de Chilpancingo-Apatzingán-Puruarán, que reafirmaba la línea democrática, populista, institucional y republicana del movimiento.

Pero ante esta racional y pragmática fórmula para levantar el alicaído organismo revolucionario Guerrero no pudo más. La atonía y el silencio fueron las respuestas a su postrer exhorto que, en rigor, podía enunciarse como «la última opción de la insurgencia».

Guerrero, el formidable guerrillero, sin doblegarse ni dar muestras de fatiga, siguió prácticamente solo —finales de 1819, principios de 1820— en su obsesiva lucha. Empeño que, todo lo admirable que parezca, había llegado a un punto muerto, a un monocorde ritmo de estira y afloja —dentro de una reducida área de la Sierra Madre del Sur—, a una laxa situación que no afectaba, ni de lejos, la estabilidad del virreinato.

Así se mantenía aquel letal statu quo en el Sur, cuando de pronto llegó de ultramar la noticia del suceso que, haciendo trepidar desde sus cimientos la estructura sociopolítica de la todavía colonia, permitiría hallarle la cuadratura al círculo, es decir, sacar a la insurgencia, representada y simbolizada por Guerrero, de ese callejón sin salida en que había caído. La nueva de que se trataba era nada menos que la juramentación de la Constitución gaditana, impuesta al rey Fernando a consecuencia del triunfo del «pronunciamiento» (primera vez que aparece esta voz en el léxico político) del ejército de Andalucía jefaturado por el coronel Rafael del Riego.

El acontecimiento conmocionó y trastornó al antiguo régimen colonial. También lo fisuró. La vuelta del sistema constitucional, aceptado a regañadientes por el virrey Apodaca a principios de junio de 1820, con toda la cauda de libertades que trajo consigo (una de ellas, importantísima, la libertad de imprenta), dividió de tajo a la sociedad mexicana, oscilante entre adscribirse al nuevo orden o moverse para reimplantar el antiguo.

En el seno del ejército, que sólo por lo que hace a tropa de línea contaba con más de 40.000 soldados en la Nueva España, compensaron a percibirse signos de descomposición. Y el exitoso precedente de Riego en España (un simple coronel que había doblegado al mismísimo rey Fernando) empezó a quitar el sueño a más de un comandante ambicioso y trepador.

Desde su campamento móvil en la serranía de Jaleaca (al oeste de Chilpancingo), Guerrero, que tenía buenos informantes en la ciudad de México, en un atinado golpe de vista pulsó con claridad la situación y decidió introducirse por la brecha que estaba abriendo el cada vez más alterado y ambivalente proceso constitucional. Oportuno y lúcido, y mejor político de lo que suponen los profanos, comprendió que si insistía en llevar su insurgencia a cuestas corría el riesgo de marginarse de las perspectivas independentistas que, casi como una ley de gravedad, podían emanar del sismo constitucional. Su plan fue tan insólito como certero.

Convencido del desajuste que en España y México había propiciado la «quiebra de la monarquía absoluta», Guerrero pensó que un cambio sólo sería factible impulsado desde dentro del cuerpo virreinal. Es decir, la independencia —su interés capital— únicamente podía lograrse si prendía un «pronunciamiento» del ejército realista, con un Riego mexicano a la cabeza. Por tanto, igual que los personajes de Pirandello «en busca de autor», él se dio a la búsqueda de un «libertador». No importa que, al principio, se hubiera equivocado de persona; lo que cuenta es que configuró bien al tipo y que, anticipándose a todos, diseñó la mecánica independentista de 1821, aunque al precio —pero fue consciente de ello— de sacrificar temporalmente algunos de los más preciados postulados de la insurgencia.

En efecto, el 17 de agosto de 1820 dirigió al coronel realista Carlos Moya, jefe del área de Chilpancingo, una carta proponiéndole la iniciativa que después retomaría Iturbide. Después de recordarle a Moya el feliz desenlace del levantamiento de Riego en España, Guerrero le dice que, en consecuencia, ha llegado «el tiempo más precioso para que los hijos de este suelo mexicano, así legítimos como adoptivos, tomen aquel modelo, para ser independientes no sólo del yugo de Fernando, sino aun de los españoles constitucionales».

Luego agrega, asignándose la posición que más tarde tendría en Iguala: «Sí, señor don Carlos, la mayor gloria de Guerrero fuera ver a vuestra señoría decidido por el partido de la causa mexicana... para decir por todo el orbe que yo tenía un jefe, un padre de mi afligida patria, un libertador de mis conciudadanos y un director que... supiera guiarnos por la senda de la felicidad.»

A continuación ofrece su concurso: «En este concepto, siempre que V. S. quisiera abrazar mi partido y trabajar por la libertad mexicana, no como subalterno mío, sino como mi jefe, sabría yo ponerle a su disposición cualesquiera número de tropa y armas para el efecto, advirtiéndole que las que tengo el honor de mandar son de alguna mediana disciplina y orden.» Finalmente, Guerrero calma los posibles escrúpulos de Moya y legitima el «pronunciamiento» contra el gobierno de Apodaca, porque —explica— «cuando se trata de la libertad de un suelo oprimido, es acción liberal en el que se decide a variar de sistema».

Esta incitación no dio, en principio, en el blanco. El coronel Moya perdió la oportunidad de su vida; pero remitió la carta al virrey y éste la mostró a Iturbide antes de su marcha al Sur. Su consecuencia lleva un doble nombre histórico-geográfico: Iguala-Acatempan.

Guerrero, proclamando el *Plan de Iguala,* era la prenda segura de la independencia; porque si bien Iturbide ponía en un lado de la balanza su nombre, su influjo, su valor, sus combinaciones políticas y las nuevas necesidades de la sociedad, también en el otro estaban todo el poder español, todos los intereses de la Península, todas las preocupaciones, todos los hábitos de trescientos años.

El peso podía haberse equilibrado; pero Guerrero sopesó eficazmente las disposiciones de Iturbide, primer jefe del ejército trigarante, el general Guerrero prestó el más robusto apoyo a la moral, publicando un manifiesto en defensa de Iturbide. ¡Guerrero defendiendo a Iturbide! Fue algo insólito.

Consumada la independencia, Guerrero, rodeado de la gloria más pura, quedó de general en el ejército mexicano. Pero, aunque sensible, la nueva sociedad se manifestó ingrata. La división que comenzó a germinar hizo, sino olvidar, al menos deslustrar los grandes servicios de Guerrero; y el hombre al que tanto debía la patria obtuvo sólo la capitanía general del sur, es decir, lo que hacía tantos años disfrutaba.

Corrió el tiempo, se proclamó el Imperio y Guerrero, aunque republicano, consintió en la erección del trono, porque el monarca era Iturbide, y en aquellas circunstancias pareció necesario este medio para consolidar la independencia absoluta.

Pero vinieron los abusos de poder, siguieron los disgustos, llegó al fin el ataque a la representación nacional, y Guerrero volvió a ser el hombre de la libertad. En compañía de Bravo salió de la capital mexicana y proclamó el *Plan de Veracruz,* teniendo a los pocos días un encuentro desgraciado con las tropas imperiales.

El 23 de enero de 1823 fueron atacados Bravo y Guerrero en Almolonga por las fuerzas de Epitacio Sánchez; Guerrero fue gravemente herido al principio de la acción, y la imprudencia de un oficial que circuló esa noticia produjo el desaliento y el desorden entre las tropas, que fueron derrotadas, escapando Bravo y ocultándose Guerrero en una barranca. De esa herida, Guerrero padeció constantemente hasta su muerte; Sánchez murió en la acción.

Derrocado el Imperio y triunfante la República, Guerrero recobró su antiguo ascendiente, sofocó dos conatos de revolución en Cuernavaca y Puebla, y fue nombrado general de división y miembro del Supremo Poder Ejecutivo, que gobernó hasta el nombramiento del presidente, que recayó en Guadalupe Victoria. Guerrero compitió con Bravo por la vicepresidencia; y si no fue nombrado para ella fue debido al deseo que dominó en el Congreso de colocar en los primeros puestos a dos hombres que se consideraban representantes de los partidos: Victoria, del Popular, y Bravo, del que ya se denominaba Escocés.

## Capítulo VIII

### — Guerrero, presidente de México —

E RA una época agitada, turbulenta y aun caótica la que se vivía en México en los inicios de la República. El país estaba en un proceso de organización de acuerdo con su nueva forma de gobierno y vivía apenas su infancia institucional. La lucha de facciones era intensa y desquiciante. Había desorden y confusión, alentados por quienes querían convencer a los mexicanos de que el logro de la independencia y las nuevas reglas de gobierno habían sido una grave equivocación, tesis si no explícita, sí implícita en quienes propiciaban conscientemente la anarquía.

La situación económica era desastrosa: el erario exhausto, las rentas públicas abatidas, el crédito nacional en crisis, el gobierno cargado de deudas y una fuga de capitales debida a la expulsión de los españoles, constituían los signos sobresalientes de aquellos precarios momentos.

En estas circunstancias la candidatura presidencial de don Vicente Guerrero fue gestándose en medio de aquel torbellino de pasiones y de intereses opuestos. No se lanzó a la lucha política arrastrado por la ambición personal. En un momento dado, cuando la violencia estallaba, pareció dispuesto a renunciar al poder que se le ofrecía. De ahí que sea válido decir que el antiguo jefe insurgente fue llevado al mando supremo de la nación por un conjunto de circunstancias que se encadenaron dentro de un proceso muy complicado y azaroso.

Podría decirse que Guerrero representaba la continuidad de los ideales insurgentes y de la República Federal, instituida apenas cuatro años atrás. Los patriotas mexicanos se fijaron en Guerrero porque creyeron que él podía realizar las reformas sociales postergadas en el gobierno de don Guadalupe Victoria. Para ese entonces, el ideario político de Guerrero defendía como verdaderos dogmas la causa de la independencia, la de la federación, el odio al gobierno monárquico, un respeto inviolable a la representación popular, la expulsión de los españoles y la nivelación de las clases sociales.

El otro candidato presidencial, don Manuel Gómez Pedraza, a la sazón ministro de la Guerra, tenía el apoyo formal de la ley; pero Guerrero tenía la fuerza del sentimiento popular en su favor. ¿Por qué resultó electo Gómez Pedraza y no Guerrero en la primera fase del recuento del voto de las legislaturas locales?

La respuesta estaba en el sistema imperante de elección indirecta, en el cual, por obra de su peculiar mecanismo, la voluntad popular se deformaba o diluía según los intereses de los electores primarios o secundarios y de los diputados locales.

El pueblo, en ese sistema antidemocrático que rigió desde 1824 hasta 1911 en México, podía votar en las urnas por determinada persona como elector primario y hacer sentir su adhesión en favor de tal o cual persona para el cargo de representación que estaba en disputa.

Pero el elector primario o secundario, y el legislador local, que también emite su voto, sufragan a favor de una persona distinta a la que señala la voluntad popular, implícita en las distintas expresiones con que los ciudadanos pueden manifestar su preferencia. En esto reside lo antidemocrático del sistema de elección indirecta, y explica por qué resultó inicialmente electo Gómez Pedraza y no Guerrero.

Pedraza era respaldado por los escoceses vencidos en Tulancingo, la mayoría de los jefes del ejército de origen realista convertidos después en iturbidistas, los mexicanos ricos, los españoles, lo más notable del clero y los que se decían ilustrados, a quienes les repugnaba la idea de ser gobernados por Guerrero, un hombre de origen humilde, que no poseía ni título universitario ni clerical, que desconocía las refinadas costumbres de la orgullosa aristocracia y al que también ponían como defecto el de no ser blanco, cosa que según ellos era un baldón para el país.

La lucha política se fue recrudeciendo al extremo de que los distintos partidos usaban a la incipiente prensa para decir falsedades, desahogos e insultos, llegando a hacer públicos los secretos de la vida privada y del hogar, e invocando con vulgaridad el apoyo de la religión en sus desesperadas acciones.

Si todos se insultaban, es claro suponer que los principales blancos de los ataques lo eran los dos candidatos. Se decía que Pedraza era un hombre culto, enérgico, equilibrado, aunque no tanto porque la ambición le hizo perder la serenidad y emplear recursos ilegales, como no haber renunciado a la cartera de la Guerra para que no se le acusara de usar el ejército a su favor, como realmente lo hizo un día antes de las elecciones al distribuir tropas, acantonándolas en lugares estratégicos como Tlalpan, pueblo que entonces era la capital del Estado de México.

Se daba como un hecho que de todos los gobernadores de los estados, la minoría apoyaba a Guerrero y que la mayoría y los ministros del gabinete estaban con Pedraza. La postura de los gobernadores era determinante, pues la elección la hacían las legislaturas de los estados y en éstas dominaba el elemento moderado. En efecto, al verificarse la elección en el mes de agosto de 1828, once votaron por Pedraza y siete por Guerrero. Se daba pues como un hecho que Pedraza había resultado electo presidente, aunque los pliegos cerrados que contenían los escrutinios no debían abrirse hasta el 2 de enero de 1829.

El estado de inquietud era terrible. Cuando el resultado oficial fue dado a conocer, la victoria de Pedraza tornó osados a unos y despechados a otros, al tiempo que comenzaban las represalias. El general Antonio López de Santa Ana, que era gobernador militar del estado de Veracruz, fue suspendido por no saber disimular sus simpatías hacia Guerrero. Los partidarios de éste recurrieron a las armas y los jefes, oficiales y tropa del Quinto Regimiento acantonado en Jalapa fueron los primeros que se negaron a reconocer el triunfo de Pedraza.

En la ciudad de México, los partidarios de Pedraza, dando muestras de bajeza política, tomando el nombre del general Guerrero, hicieron circular una proclama en la que el candidato derrotado exhortaba al pueblo a la obediencia y a conservar la paz. El fin era bueno, pero lo que se reprobaba era el medio. Sintiéndose obligado a desenmascarar a los suplantadores, en una inteligente declaración, Guerrero manifestó a un periódico de la época: «La proclama no es mía, pues yo no tengo ningún carácter público para dirigir proclamas al pueblo. Yo amo la paz y las leyes.»

El 16 de septiembre de aquel mismo año, el general Santa Ana se levantaba en armas en Jalapa con ochocientos hombres, tomaba la fortaleza de Perote y desde ahí declaraba que no reconocía a Pedraza por haberse falseado el voto público y que sólo dejaría las armas cuando el general Guerrero sustituyera a aquél en el poder; al mismo tiempo, incitaba al pueblo a tomar venganza contra los españoles por haber comprado a las legislaturas. El general Montes de Oca y el coronel Juan Álvarez, con gente de la costa, tomaban el puerto de Acapulco y se declaraban partidarios de Santa Ana, exigiendo además se cumpliese la ley de expulsión de los españoles. Las fuerzas armadas de Chalco y Apan asumían igual actitud.

Poco a poco el descontento se generalizó y el 1 de diciembre se produjo un ataque contra el Palacio Nacional, donde el Congreso estaba reunido, en respaldo a Guerrero, quien sin embargo desaprobó la acción. Ante la inminencia de la toma de Palacio y temeroso de perder la vida, Pedraza salió huyendo con rumbo a Guadalajara en tanto que el presidente Victoria entraba en pláticas con los amotinados para buscar una salida al conflicto.

En tal desorden y para atraerse al populacho, Victoria permitó el saqueo del mercado de El Parián, donde el mayor número de tiendas era propiedad de españoles, y que dejó pérdidas por más de dos y medio millones de pesos de aquella época. Para fortalecerse, el presidente hizo algunos cambios en su gabinete, llamando al general Guerrero para que ocupara el Ministerio de la Guerra.

Por causas que se desconocen, aunque quizá trató de evitar que se dijera que se valía de las armas para que sus partidarios lograran sus objetivos, el general Guerrero comunicó al presidente Victoria el 28 de diciembre que entregaba el Ministerio al general Francisco Moctezuma y, acto seguido, se marchó a tomar el mando de general en jefe de las tropas que guarnecían los estados de México, Veracruz y Oaxaca.

Durante su corta gestión de dieciocho días como ministro de la Guerra, Guerrero se opuso a toda persecución individual, a toda venganza y a toda inquina, al tiempo que dictó prudentes medidas para restablecer el orden.

Obligada por las circunstancias, la Cámara de Diputados declaró nula la elección de Pedraza, sin atender la renuncia de éste a la presidencia cuando abandonó el país, y por unanimidad, el 12 de enero de 1829, declaraba electo presidente de México al general Vicente Guerrero. En aquella histórica votación, sólo se registró el voto en contra del general Anastasio Bustamante, quien a pesar de todo resultaba electo como vicepresidente.

El punto negro del binomio era Bustamante. Aunque médico, había sido soldado realista formado en la escuela militar de Calleja. Todo el mundo sabía que había combatido a los insurgentes durante toda la guerra de independencia. Después fue un político pérfido, ya que entró en connivencia con los escoceses siempre con el propósito de derribar, perseguir y suplantar a Guerrero.

Pero a pesar de todo, el general Guerrero llegó a la presidencia el día 1 de abril de 1829, formando su gabinete con los siguientes personajes: Relaciones, don José María Bocanegra; Guerra y Marina, don Francisco Moctezuma; Justicia y Negocios Eclesiásticos, don José Manuel de Herrera; Hacienda, don Lorenzo de Zavala.

La nueva administración se iniciaba bajo buenos augurios. Abolió los estancos de tabaco, reglamentó las actividades de la Casa de la Moneda, organizó la administración del ramo de minería. Hizo que la influencia funesta de Estados Unidos no se hiciera sentir durante su gobierno. También firmó tratados con Inglaterra estableciendo relaciones de amistad y comercio; iguales tratados firmó con Holanda, Dinamarca y otras naciones y, por primera vez, fincó los cimientos para las leyes que habían de regir las relaciones de los consulados y embajadas de México ante las demás naciones.

Ya en el poder, el jefe suriano recogió la tradición programática de la insurgencia y del partido federalista o popular. Ahora bien, el sentido de la administración que presidió está en los actos concretos de su gobierno, que fueron los siguientes:

1.—Lucha contra el intento de reconquista española acaudillado por Barradas. En esto, Guerrero se reveló como un intransigente defensor de la independencia, que se hallaba seriamente amenazada, tanto desde el interior como del exterior.

2.—Aplicó la segunda etapa de la expulsión de los españoles, según la ley de 1827, medida discutible pero que era exigida por el partido dominante con apoyo en el sentimiento popular.

3.—Formalizó la abolición de la esclavitud, ya derogada por el decreto de Hidalgo y por las primeras autoridades del México independiente.

4.—Abolición del estanco del tabaco, libertad de cultivos y reglamentación minera. Estas medidas tendían a modificar la estructura económica heredada de la colonia. Había resistencia del ban-

do conservador y españolizante, representado por las logias escoce-
sas, para que no se alterara la estructura tradicional. Prueba de ello
fue la rebelión basada en el *Plan de Montaño,* encabezada por los escoceses Nicolás Bravo y Miguel Barragán.

5.—En relación con lo anterior, Guerrero decretó la amnistía a
favor de los proscritos por esa rebelión, Bravo y Barragán. Fue la primera ley de amnistía en la historia de México. Tenía la intención,
como se dice hoy en día, de cerrar filas, de vigorizar la unidad nacional ante el plan de reconquista española.

6.—Decreto por el que se ordenó a todas las legaciones y consulados de la República Mexicana de concertar tratados de comercio con las naciones extranjeras para subrayar el carácter independiente de México.

7.—Creación de la Casa Nacional de Inválidos, de la que fueron beneficiarios los mutilados en la guerra de independencia.

De esa manera, el gobierno del presidente Guerrero se orientó
políticamente hacia la consolidación de la soberanía nacional, la defensa de la forma de gobierno federal y representativo, y la modifi-
cación de la estructura económica y social: Es evidente que en su
administración hubo una tendencia histórica definida. Su gobierno, aun dentro de las incoherencias lógicas e inevitables impuestas
por su época, tuvo una dirección general que correspondía a la corriente democrática de su tiempo, orientada a suprimir la herencia
colonial y darle a México, dentro de su plena independencia política, una nueva organización social.

# Capítulo IX

## — La traición —

PERO los enemigos de Guerrero pronto manifestaron su desafecto y en la prensa, en pasquines y libelos le hicieron víctima de injustos ataques y acres burlas, pues lo presentaban como un mulato semisalvaje, inmoral, rodeado y seguido por el ignorante pueblo. Y a cada paso le recordaban que su encumbramiento al poder era consecuencia de motines y alzamientos con los que nada tuvo que ver.

Además, y era lo más grave, sus partidarios y amigos ocasionales esperaban ansiosos recompensas y jugosos puestos que el presidente Guerrero no podía o no quería conceder. Para agravar los problemas internos, empezaron a circular rumores en el sentido de que, en La Habana, los españoles preparaban una poderosa expedición de reconquista, la que desembarcaría al mando del brigadier Isidoro Barradas, dotada de abundantes y buenas armas y suficientes pertrechos.

El primer contingente estaría compuesto de 5.500 hombres, al que le daban el nombre de «División de Vanguardia», precisamente porque tenían la pretensión de que al pisar tierra mexicana, la población, armada por ellos, constituiría el más poderoso ejército a favor de la causa. Soñaban estos ilusos que se repitiera el fenómeno de la conquista, cuando los pueblos autóctonos sojuzgados por los mexicas se unieron a los teules y aquéllos consumaron la conquista.

El presidente Guerrero, cauto en cuestiones militares y midiendo la importancia de los rumores, dio órdenes para que se concentraran tropas listas a rechazar la invasión, lo que aprovecharon sus enemigos para asegurar que aquella medida tenía como fin aniquilar por la fuerza toda oposición, negando en libelos el inminente desembarco y no solamente esto, sino que instaban al ejército a la sublevación con dos fines visibles: debilitar al gobierno y favorecer la reconquista.

El día 25 de julio de 1829 la expedición desembarcaba en Cabo Rojo, lugar pantanoso, insalubre y azotado por la fiebre amarilla. Avanzando por el litoral, los españoles encontraron la primera resistencia en un paraje denominado Los Corchos, donde les esperaban emboscados unos trescientos soldados mexicanos, los que al trabarse en combate el día 1 de agosto, tuvieron que retroceder, perdiendo veinticinco hombres.

Los invasores avanzaron a Pueblo Viejo, después sobre Tampico, al que, sin disparar un solo tiro y auxiliados de sus embarcaciones de guerra, lo ocuparon, apoderándose de ocho cañones que se encontraban emplazados en la batería del fortín, gracias a la cobarde actitud del general Garza, que no opuso ninguna resistencia.

Los invasores siguieron avanzando. El presidente Guerrero, con fecha 27 de agosto, informó al Congreso de la gravedad de la situación y así mismo agradeció las facultades extraordinarias que le dio el cuerpo legislativo. Al mismo tiempo, nombró al general don Antonio López de Santa Ana como gobernador y comandante militar de Veracruz y jefe de las tropas mexicanas destinadas a detener al enemigo, así como al general don Manuel Mier y Terán para que de inmediato entrara en contacto con los expedicionarios. He aquí el discurso que pronunció el presidente Guerrero ante el honorable Congreso de la Unión:

«Llamados a sesiones extraordinarias a cooperar con el Ejecutivo para salvar la independencia y la forma de Gobierno, habéis en el corto periodo de veinte días trabajado con el mayor ardor y utilidad en el grande y delicado objeto que os señaló la convocatoria. Os penetrasteis de la verdadera situación de la cosa pública, y progresivamente fuisteis dando al Ejecutivo medios y facultades que se creyeron suficientes para obrar activamente contra los injustos invasores. El progreso de los males públicos, sobre los que ya habían debilitado nuestros recursos, y el convencimiento íntimo de que el Gobierno necesitaba obrar con más independencia para arrojar de las costas al enemigo exterior, y hacer desaparecer aun las apariencias de cualquier connivencia en el interior, determinaron al fin a las Cámaras a investir al Ejecutivo de un poder que no tuviese obstáculo alguno para ocurrir al peligro que nos amenaza.

Lo he aceptado y en nombre de la patria os protesto que si por la fuerza de las circunstancias lo habéis dado, y no lo ha repugnado el Ejecutivo, mis conciudadanos no rodarán una lágrima por abuso de tan terribles facultades. Empleará su poder y sus recursos contra el enemigo, y para asegurar al ciudadano el libre uso de sus derechos sociales. El gobierno español ha intentado la reconquista de un país cuyos sentimientos parece desconocer; la generación de los esclavos ha sido sustituida por un pueblo libre. Siete millones de almas se levantan en masa contra los invasores. Retiraos tranquilos, señores, sobre el uso que hará el Gobierno del depósito sagrado que le habéis confiado. La aplicación de las facultades extraordinarias no os dará lugar a un solo remordimiento.»

Por su parte, el general Santa Ana hacía embarcar en el puerto de Veracruz a cerca de dos mil hombres, con instrucciones de que los barcos navegaran paralelamente al litoral, con rumbo al norte, sobre el que se movería siguiendo el mismo punto cardinal la caballería. Nadie les impidió el avance, pues Barradas, emulando a Cortés, prescindía de sus naves haciéndolas volver a La Habana, aquellos bajeles artillados que podían haberle servido de apoyo en el ataque, o de salvación en caso de desastre.

Previo desembarco en la barra de Tuxpan, las fuerzas mexicanas llegaron a Puerto Viejo, distante una milla de Tampico. Después de algunas escaramuzas de más o menos importancia, a las 10 de la noche del 20 de agosto el general Santa Ana, al frente de 400 infantes y algunos dragones, atacó Tampico, defendido por 600 españoles. Al saberlo Barradas, que se encontraba en Altamira, volvió en auxilio de sus hombres con el grueso de la expedición.

Bajo torrencial aguacero y con el ardor de los combatientes, la batalla se tornó sangrienta y desastrosa para los dos ejércitos; los españoles pisando tierra ajena y desconocida, hacían lo indecible para librarse de la muerte; los mexicanos, con el ánimo de quien ve mancillado su suelo, no dudan en ofrendar su vida para salvar a la patria.

Convencidos de la determinación de los defensores y obligados por la escasez de víveres, con más de 350 soldados enfermos por la temible fiebre amarilla, sin medicamentos y sus médicos atacados por el mismo mal, Barradas se vio obligado a capitular el 11 de septiembre, comprometiéndose a entregar sus armas, municiones y banderas y no volver a tomar partido alguno contra México.

Por su parte, el gobierno mexicano asumió el compromiso de respetarle la vida y reembarcó a sus derrotados soldados en las fragatas «Cadmus» y «Leónidas» y el bergantín «Noble», los que procedentes de La Habana habían atracado con ese propósito. De los 5.500 hombres desembarcados originalmente, sólo reembarcaron 1.792; habían muerto en la guerra y por enfermedad 1.708; el resto se les declaró como desaparecidos o desertores.

La noticia del triunfo llegó a la ciudad de México el 20 de septiembre, por la noche, a la hora en que el presidente Guerrero se encontraba asistiendo a una función de teatro. El parte se le dio en pliego cerrado, el que fue llevado hasta el palco de honor por uno de sus ayudantes. El pueblo, con su sexto sentido y sólo por este insignificante hecho, todo lo entendió, más aun cuando Guerrero abrió la comunicación desatendiéndose por un momento de la representación teatral y, aunque el contenido del pliego era de gran trascendencia para el país y él permaneciera impasible, adivinándolo la gente prorrumpió en vivas a la República.

Al abandonar Guerrero el teatro y salir a la calle, la ciudad se había iluminado y las distintas clases sociales, confundidas, le felicitaban proclamándole «Padre de la Patria». Guerrero, emocionado, enmudecía al ver que las pasiones y diferencias políticas se borraban ante el peligro en que estaba la patria. Este hecho encerraba un gran significado; denotaba que el sentimiento a favor de la independencia no solamente se conservaba intacto, sino que se acrecentaba.

Al oportunista general Santa Ana, que nunca desaprovechaba la oportunidad de pavonearse, aquel triunfo en el que quizá nunca creyó le valió tiempo después que el luego presidente Gómez Farías le diera el título de «Libertador de la República» y una medalla de oro con esta inscripción: «Abatió en Tampico al orgullo español».

El 1 de octubre llegaban cuatro oficiales a la capital con las banderas tomadas al enemigo; el presidente Guerrero dispuso que se ofrecieran como trofeos a la imagen de la Virgen de Guadalupe, considerando que aquel símbolo religioso había impulsado a los mexicanos en el primer movimiento libertario y con la intención de avivar la veneración por el libertador Miguel Hidalgo. La gente del pueblo, tendida en valla desde la garita de Peralvillo hasta la Villa de Hidalgo, que así se llamaba por entonces la hoy delegación Gustavo A. Madero, vitoreaba y saludaba a Guerrero, que presidía la comitiva.

A la hora de recompensar los servicios de las fuerzas que expulsaron a Barradas, Guerrero no se olvidó de nadie. Ascendió a generales de división a los brigadieres don Antonio López de Santa Ana y don Manuel Mier y Terán; a los oficiales que más se distinguieron los promovió al grado inmediato superior; a la tropa le dio las gracias en nombre de la nación. Además ordenó, como previsión en caso de que se registrara la llegada de nuevas fuerzas españolas, que el general y vicepresidente Bustamante, al frente de tres mil hombres, ocupara las regiones de Jalapa, Córdoba y Orizaba. Este personaje aconsejó tal medida al gobierno, no se sabe si obrando con lealtad o con las miras ulteriores que después manifestó abiertamente.

Se pensará que esta hazaña consumada por el gobierno del presidente Guerrero habría de amainar la oposición y críticas a su régimen, pero no fue así. Si bien era cierto que no era un hombre instruido, sí tenía talento natural, el suficiente para dictar las medidas necesarias en beneficio del país. Su poca experiencia política la subsanaba con su buen corazón y limpieza de sentimientos. De ello se aprovecharon sus desleales colaboradores y consejeros para someterlo bajo sus perniciosas influencias.

El pueblo bajo, al que se le llamaba «perchero», estaba con él porque si bien era verdad que se había conseguido la independencia política, pesaba sobre sus espaldas la oligarquía formada por el alto clero, los grandes propietarios de la tierra, los comerciantes y los enemigos de la independencia.

Los «percheros» veían en Guerrero la única esperanza de sus males. Además, a sus antiguas hazañas sumaba la gloria de haber rechazado al invasor. Su encumbramiento a la presidencia se debía a aquellos méritos y fue como una necesaria consecuencia de la exasperación del partido popular, burlado hasta entonces por la astucia de las clases privilegiadas.

Como presidente su posición era firme; lo querían el pueblo y las personalidades relevantes de la época. La prueba está en que cuando se verificaron las sublevaciones reaccionarias en su contra, muchos de los gobernadores de los estados y agrupaciones se solidarizaron con él.

Pero los errores de su ministro de Hacienda, don Lorenzo de Zavala, le acarrearon nuevas antipatías. En su desmedida y nunca satisfecha ambición de riqueza, Zavala gravaba en forma alarmante los impuestos, arguyendo múltiples pretextos. Las fincas rústicas y urbanas pagarían el 10 por 100 sobre su arrendamiento o el medio por ciento sobre su valor; los carruajes de cuatro ruedas pagarían 48 pesos anuales, los de dos ruedas 24 pesos; a géneros y efectos de procedencia extranjera el cinco por ciento de su valor; los licores extranjeros el 10 por 100; los mesones, posadas, fondas, teatros, plazas de gallos, así como los abogados, escribanos, procuradores, notarios, médicos, cirujanos, arquitectos, agrimensores, corredores, peritos de minas o cualquiera otra profesión, pagarían 24 pesos anuales.

Con el pretexto de crear un fondo para «gastos extraordinarios y de guerra», Zavala ordenó descuento proporcional de sus sueldos a empleados civiles y militares, empleados y trabajadores de campo, de comercio, de minas, de colegios, de hospitales y municipales, aberración hacendaria que ni cumplía el cometido para la que fue dictada y si dio origen a que se pidiera su separación del Ministerio.

En tanto, el presidente Guerrero, fiel a sus sentimientos humanitarios, daba rienda suelta a su generosidad ordenando la rehabilitación de los oficiales que habían tomado parte en el pronunciamiento de Montaño y Tulancingo; declaraba el goce del Monte Pío militar a las viudas de los que habían fallecido expatriados por la misma rebelión.

Con el deseo de celebrar con un acto de justicia el 15 de septiembre que se avecinaba y conociendo el trato que algunos daban a los naturales, decretó lo que ya sus gloriosos antecesores Hidalgo y Morelos habían ordenado; sin que por desgracia se consiguiera en su totalidad:

1.—«Queda abolida la esclavitud en la República.»

2.—«Son por consiguiente libres los que hasta hoy se habían considerado como esclavos.»

3.—«Cuando las circunstancias del erario lo permitan, se indemnizará a los propietarios de los esclavos en los términos que dispusiesen las leyes.»

Para hacer una demostración de que su espíritu se encontraba limpio de todo rencor y tratando de borrar sus diferencias con el general Bravo, concedió amnistía a los que por disposición del decreto del 15 de abril de 1828 habían sido desterrados por hallarse comprometidos en el *Plan de Montaño,* lo que les permitía desde luego regresar al país y continuar en goce de sus empleos. Acogiéndose a tan noble disposición, Bravo y Barragán no sólo pudieron regresar al país, sino que tácitamente recuperaban sus antiguos grados dentro del ejército, con todas las prerrogativas que la ley les concedía.

A pesar de todo esto, sus enemigos seguían calumniándolo y ensañándose con él. La peor y más perversa de las calumnias era la de «dictador», por conservar las facultades extraordinarias que el Congreso le había conferido con motivo de la presencia del invasor. Fácilmente se podía comprobar la calumnia, pues en su descargo se demostraba que, roto el orden constitucional por aquella causa, no había prueba de queja ni abuso por parte del Ejecutivo.

Propuesta a eliminar a Zavala del gabinete de Guerrero, la legislatura del estado de México le retiró la licencia que como gobernador le había concedido para que ocupara el Ministerio de Hacienda, obligándole de esta manera a volver al puesto de gobernador.

Cuando supo de su renuncia, la misma legislatura expidió un decreto prohibiéndole que tomara posesión del gobierno del estado de México, argumentando que si como ministro había expedido algunos decretos contrarios a los intereses del Estado, ya en el gobierno los haría cumplir. Aunque aquella medida política fue considerada como adecuada a la salud pública, la remoción de Zavala del Ministerio de Hacienda no dejó de causar desasosiego en la Administración del presidente Guerrero.

Pero las medidas contra el gobierno de Guerrero no terminaron ahí. El día 22 de octubre, el Consejo de Gobierno, en sesión extraordinaria, aprobaba: « Habiendo cesado el motivo por el cual se concedieron al Ejecutivo facultades extraordinarias, pido al Consejo manifieste al gobierno los deseos que tiene de que la Constitución vuelva a su antigua observancia y que todo se gobierne bajo el régimen constitucional.»

Consciente de su real posición, Guerrero contestó que él abundaba en los mismos deseos pero que juzgaba que en realidad aún no cesaba el motivo por el cual se le habían concedido, que antes bien contaba con suficientes informes para temer, tanto en el exterior como en lo interior, el uso de dichas facultades.

Acogiéndose al indulto, el día 22 de aquel mes los generales Bravo y Barragán desembarcaban en Veracruz; ello fue motivo para que la alta sociedad del puerto, los cónsules extranjeros y las autoridades locales les felicitaran y obsequiaran con banquetes y bailes. Los enemigos del presidente aprovecharon el acontecimiento para hacer publicar en los periódicos el siguiente comentario: «Cuán diversa sería la suerte del país si hubieran podido hacer triunfar los salvadores principios proclamados en Tulancingo.»

Como corría el rumor de que los generales Santa Ana y Bustamante preparaban un movimiento subversivo, en proclama de fecha 29 lo desmentían desde Jalapa porque, según ellos, no tenían facultades para cambiar el sistema federal establecido, aunque en su opinión creían necesarias algunas reformas generales. Con estas declaraciones, el vicepresidente Bustamante de hecho se colocaba abiertamente en el bando contrario al de Guerrero, donde en realidad siempre había militado.

Las sublevaciones no se hicieron esperar: la guarnición de Campeche desconoció el federalismo, pronunciándose por la forma de República Central. Entonces fue cuando el eterno enemigo de Guerrero y de la insurgencia se quitó la máscara y, con el pretexto de paliar las inconformidades y alzamientos militares, lanzó fuego al régimen al decir: «Es un error atribuir a la naturaleza del régimen federativo los vicios de una mala administración y también es una notoria imprudencia pretender curar los males que hoy afligen a la inocente patria con otros mayores que debe acarrearnos la guerra civil.»

Con objeto de persuadir a los pronunciamientos de Campeche, el presidente Guerrero comisionó a Zavala; éste, predispuesto con el Ejecutivo por la situación política en que se encontraba, aseguró que se le daba aquella comisión para alejarle del centro del país. Al retornar de su cometido, el propio Zavala informaba que el pronunciamiento de Campeche había sido promovido por los oficiales de Yucatán, obrando de acuerdo con los jefes del ejército acantonado en Jalapa; es decir, por Santa Ana y Bustamante, con miras a establecer un nuevo gobierno que preparara el terreno al centralismo.

Ya no quedaba la menor duda sobre dónde había tenido su origen la traición; pronto se confirmó. Abusando de la confianza depositada en él y tomando como ejército propio los tres mil hombres que se le habían confiado para salvaguardar la seguridad de la nación, el general y vicepresidente don Anastasio Bustamante tomaba el mando de la sublevación y proclamaba el *Plan de Jalapa* como base de su actitud.

La realidad era que aquel plan contaba con el apoyo de la inmensa mayoría de los militares de la República, tan partidarios de las asonadas, tan fáciles de enrolarse en ellas, si se consideraba que los principales jefes del ejército habían sido antiguos realistas. Iban a luchar, decían, «por la reposición de las leyes», apoyados por las clases altas, mismas que proporcionaron el dinero para comprar las tropas y financiar el movimiento subversivo.

El texto del *Plan de Jalapa* decía a la letra, en sus puntos más sobresalientes: «2.— El ejército protesta no dejar las armas de la mano hasta ver restablecido el orden constitucional, con la exacta observancia de las leyes fundamentales. 3.— Para este fin, el primer voto que pronuncia en el ejercicio del derecho de petición es que el supremo Poder Ejecutivo dimita las facultades extraordinarias de que está investido, pidiendo inmediatamente la convocatoria para la más pronta reunión de las augustas Cámaras, a fin de que éstas se ocupen de los grandes males de la nación... 4.— El segundo voto del ejército es que se remuevan aquellos funcionarios contra quienes se ha explicado la opinión general.»

Entre la gente del pueblo se aseguraba que los que encabezaban la rebelión eran el vicepresidente Bustamante y los generales Múzquiz y Santa Ana. La verdad es que este último, amigo personal del presidente Guerrero y además su compadre, jamás volteó armas contra él. Lo prueban dos comunicaciones que aquél envió: la primera el 5 de diciembre de 1820 en contestación a un escrito del general Múzquiz, y la segunda, fechada el día 18 del mismo mes, dirigida a Guerrero, su compadre y amigo.

En la primera dice a Múzquiz, entre otras cosas, después de manifestar su conformidad con algunos puntos del Plan: «No es así en el modo: las medidas estrepitosas, las vías de hecho son por lo general origen de funestos choques que, encendiendo los ánimos exaltados, terminan en la guerra civil. Que pueda tomarse un resultado semejante, es muy obvio: el Supremo Gobierno, luego que se imponga de lo acontecido y del plan de ejército pronunciado, se considerará atacado... y ya venza este partido, ya el otro, la nación resiente graves perjuicios... y por tanto estoy resuelto, sí, muy resuelto, a no volver a acaudillar jamás otra revolución... Yo suplico a usted se sirva asegurar a todos los señores jefes que estoy muy reconocido por el honor que me han dispensado, eligiéndome para que en unión del Excmo. Sr. general don Anastasio Bustamante, me ponga a la cabeza del ejército pronunciado... Mi salud se halla actualmente tan deteriorada que los facultativos han tenido por necesario recomendarme me abstenga de toda clase de ejercicios violentos, y de toda intervención en asuntos públicos...».

En la carta al presidente Guerrero, Santa Ana dice: «Mi amadísimo compadre, compañero y amigo: Fiel siempre a mis principios y a los deberes que me impone la conciencia y a la pura amistad que le he profesado a usted, no menos que al sistema, he vuelto a descolgar la espada para correr la suerte que a usted toque en la presente crisis. Hoy he tomado ambos bandos del Estado y muy en breve me tendrá usted a la retaguardia de los defensores de la Constitución y de las leyes; con cuyo aparente velo atentan contra la interesante persona de usted y quién sabe hasta dónde llevarán sus pretensiones avanzadas. Yo creí, mi querido compadre, que el señor Bustamante y jefes que componen el ejército de Reserva no tenían otro objeto que pedir la dimisión de facultades extraordinarias y que se corrigiesen otros abusos de la administración para la mejor estabilidad del sistema federal; pero nunca pude persuadirme que tuvieran la temeridad de querer derrocar a usted a bayonetazos de la silla presidencial. Los hechos me convencen de esta verdad y yo no permitiré que se satisfagan enconos particulares y se precipite a la República en un abismo de males... Para morir con la federación y con usted estoy organizando a toda prisa una división de dos mil hombres; la tendré lista muy pronto e inmediatamente marcharé en auxilio de ese Gobierno. A no dudarlo, sé que a muchos jefes y aun a la misma tropa le han asegurado que yo estaba de acuerdo para el pronunciamiento... Cuente usted siempre conmigo y afiancemos para siempre el reposo y la paz... Escriba usted con mucha frecuencia; si fuera posible, diariamente; indíqueme usted cuanto crea conveniente; que haya la actividad que usted tuvo siempre en la campaña y no dudo que exhalará el último aliento a su lado, su afectísimo amigo y compadre.»

Por única vez el general Santa Ana se apegaba a la legalidad, aunque a la postre no fue así, a pesar de que el 15 de septiembre desde su hacienda de Manga de Clavo lanzaba un manifiesto donde afirmaba «... oponerse con tesón a los que intentaban temerariamente derrocar de la silla presidencial al ilustre general Guerrero, bajo cualquier pretexto que sea, lo que sólo conseguirán pasando sobre mi cadáver, cuando ya haya dejado de existir, en defensa del primer magistrado de la nación».

Todos los enemigos del federalismo y del presidente Guerrero justificaban el movimiento de Jalapa. El periódico *El Mensajero,* que se editaba en aquella ciudad, dio una noticia relacionada con el movimiento, significativa por la abundancia de recursos económicos con que contaban los rebeldes: «Hoy se dio prest doble a los soldados. Sobran recursos cuando se trata de salvar a la patria.» Además, los jefes comprometidos se esforzaron por hacer creer a los soldados que el presidente Guerrero y los viejos insurgentes que lo rodeaban veían con desdén y mala voluntad al ejército regular, propalando la noticia de que la pobreza del vestuario y equipo se debía a lo mismo. En su proclama del 5 de diciembre, el rebelde Bustamante decía al ejército: «Soldados: vuestras miserias, que han afectado tanto mi corazón, me lisonjeo de que terminarán pronto.»

El periódico de la capital *El Sol,* al servicio de las clases opresoras, decía, empeñado en opacar la irreductible figura de Guerrero: «Qué empeño en seducir al pueblo; qué deseo de perpetuar el poder usurpado sobre la ley; si se compara el motín que facilitó el acceso a la presidencia, no cabe posible comparación con el de Jalapa. ¿Cómo podrá increpar de crimen haber levantado armas contra la autoridad quien debe a ellas su exaltación?» Lo decían como si el motín de Jalapa fuera el prototipo de lealtad y apego a la ley. Para justificarse, invocaban como fundamento las tendencias centralistas del partido de Pedraza; preconizaban las excelencias del sistema federal como preparación al advenimiento del centralismo.

El día 10 de diciembre Zavala, que volvía de su comisión en Yucatán, desembarcaba en Veracruz. Al día siguiente un periódico del puerto daba la noticia en estos términos: «Anoche ha llegado aquí de regreso de su comisión extraordinaria el sultancillo Lorenzo de Zavala. Desgraciados habitantes de México, enterrad vuestras propiedades en los sepulcros, pues va tras ellas el héroe de la rapiña.»

El día 11, el presidente Guerrero dimitía las facultades extraordinarias, tratando de aliviar la causa fundamental de las acusaciones de sus opositores y dejaba a los representantes la responsabilidad del restablecimiento de la paz alterada por el vicepresidente Bustamante.

Aunque las Cámaras comprendían la necesidad de prorrogarlas, la oposición se obstinó en no concederlas. Uno de los diputados argumentó neciamente: «... puesto que el ejército de Jalapa se había pronunciado contra el mal gobierno, no era racional facultarle para ofender a quienes tan justa causa reclamaban».

Como se ve, todas las medidas privaban de toda acción al presidente Guerrero; sus partidarios, unos en busca de la retención del poder extraordinario para defenderse, aunque en el fondo perjudicaban al gobierno; sus enemigos acusándolo de abuso de él, lo que hacían era acabarle de atar las manos con el contenido del artículo 112 de la Constitución, que establecía «... que el presidente de la República no podría mandar en persona las fuerzas de mar y tierra, sin previo consentimiento del Congreso General o acuerdo en sus recesos del Consejo de Gobierno».

Con objeto de predisponer los ánimos de la ciudadanía —los militares yo los tenían—, *El Sol* dio una dolosa y falsa información al anunciar que el presidente había encargado a Zavala del gobierno del Distrito Federal. Guerrero estaba cercado por sus enemigos, dentro de un círculo de traidores y perjuros, impotente para contrarrestar la rebelión acaudillada por el propio vicepresidente, quien contaba con el respaldo del clero y de los poderosos, los que a través de la historia se han hecho llamar «gente de bien».

A los héroes y jefes de la insurgencia les aconteció lo mismo que le ocurrió más tarde al presidente Madero; por dejar en filas a los más connotados realistas, éstos le traicionaron, traicionando de paso las ideas más nobles de la naciente República. Se pensó repeler la agresión armada con las pocas tropas que eran fieles; haciendo uso de las facultades extraordinarias que aún estaban vigentes, ordenó al general José María Bocanegra que saliera a batir a los sublevados. Pero las fuerzas de la capital comenzaron a serle infieles: primero las de Tacubaya, después la artillería de la Ciudadela.

Al ver la ineficacia del comisionado, el propio Guerrero, a las cuatro de la madrugada del día 19, tomó la determinación de ponerse personalmente a la cabeza del ejército, encargando el mando de la República al general Bocanegra.

En su ausencia aumentaron las sublevaciones; el 3.º de infantería tomó presos a los oficiales y se declaró enemigo del gobierno, destinando doscientos de sus soldados a apoderarse del Palacio Nacional, acaudillados por el general Quintanar.

Pero no todo era traición y maldad, pues el glorioso soldado que años más tarde hiciera magnífica resistencia al ejército norteamericano durante la oprobiosa invasión de 1847, el general don Pedro María Anaya, al frente de trescientos hombres y dos cañones, rechazaba el ataque que aquéllos llevaban a cabo entre la una y las dos de la madrugada del día 23; les obligó a retroceder, estableciéndose un persistente e inefectivo tiroteo.

A las nueve treinta de la mañana de ese mismo día se izó la bandera blanca en el Palacio Nacional, el señor Bocanegra abrió las puertas para que los atacantes lo ocuparan; éstos que entraban y los defensores que salían, sin mayores consecuencias, se confundieron, pudiendo por ello salir inadvertido el comandante defensor. El Consejo de Gobierno llamó urgentemente al presidente de la Suprema Corte de Justicia, don Pedro Vélez, para encargarle del Poder Ejecutivo, nombrándole como auxiliares a Quintanar y a don Lucas Alamán. Siete muertos y aproximadamente doce heridos costó a la nación esta jornada.

De hecho, aunque no de derecho, el general Vicente Guerrero había dejado de ser presidente de México, aunque lo más grave era que se había asesinado a la República Federal. Guerrero, que se encontraba el día 20 de diciembre en Tlalmanalco, urgía al ministro de Guerra que violentara el envío de fondos, pues desde hacía dos días, los que tenía fuera de la capital, andaba carente de ellos para pagar a la tropa.

La situación empeoraba más; estando en Xochiapa, el día 23 recibió la noticia de que el total de las fuerzas de la capital le eran adversas. Este acontecimiento obligó a la Secretaría de Guerra a girar circulares a todas las comandancias informándoles de este hecho y para que todo movimiento de tropas ordenado con anterioridad tendente a dar auxilio fuera suspendido.

Desengañado de la falsedad de la mayoría de los que le rodeaban, Guerrero tomó la decisión de retirarse al sur, haciéndose acompañar de una pequeña escolta, con el ánimo bien dispuesto a no combatir; juzgando inútil el derramamiento de sangre, a pesar de que algunas corporaciones militares del interior le eran fieles, pues el 3 de enero de 1829 se le unía en Puebla su viejo y leal amigo el coronel don Juan N. Álvarez, al frente de la División del Sur, compuesta de 800 infantes, 200 jinetes y dos cañones. Aquel mismo día, Santa Ana, olvidando sus amenazas a los de Jalapa y sus promesas de apoyo de su compadre y amigo, reconocía al nuevo gobierno, tomando como única desaprobación hacia los sublevados la determinación de renunciar al mando político y militar del estado de Veracruz.

Rumbo al sur se encaminó el presidente Guerrero, más que con el propósito de luchar por una causa a todas luces perdida, por salvar su vida. Con la finalidad de que no se le tuviera por obstinado y se dijera que defendía una causa personal, ni se le calumniara de traidor ni de rebelde, temerariamente Guerrero tomó la determinación de deshacerse de las tropas que le seguían, haciendo entrega de ellas al usurpador.

Simpatizantes no le faltaban al presidente derrocado. El 26 de diciembre, el Congreso local de Veracruz decretaba que no reconocía al gobierno que contra la Constitución se había erigido en la capital de la República tres días antes y facultaba al gobernador estatal para que dictara las medidas que creyera oportunas, a fin de sostener la forma de gobierno que se pretendía desaparecer. También el pueblo lo quería y se condolía de su situación al saberlo derribado del poder por un motín militar.

Ya caído Guerrero, el renegado de Zavala se atrevió a escribir en su «Cuadro Histórico» que el presidente había sido víctima de su propia cobardía, pero no dijo que los males a su gobierno y el descrédito a la administración habían sido culpa suya, por su sangriento motín de La Acordada, el saqueo al Parián y sus erradas medidas hacendarias. Al presidente Guerrero no le faltó valor ni ánimo para combatir la rebelión; lo que faltó fue lealtad y patriotismo a los que estaban obligados a ayudarle.

La saña con el caído fue en aumento. El día 7 de enero Antonio Pacheco Leal, presidente del Senado y enemigo suyo, propuso a la Cámara «... que se declarase al general Vicente Guerrero imposibilitado para gobernar la República». El día 11, desde Tixtla, su pueblo natal, Guerrero contestaba con guante blanco a las calumnias y diatribas de sus detractores, dando cuenta a la Cámara de su conducta con el siguiente escrito:

«Señor: Situado en una de las poblaciones del sur, tengo el honor de dirigirle mis letras a esas respetables Cámaras para darles cuenta de mi conducta en los últimos acontecimientos políticos. Cuando subí a la silla de la primera magistratura de la República Mexicana, no me condujo a ella otra idea que el obedecimiento que siempre he tributado a la voluntad nacional, delegada por los estados y territorios a sus dignos representantes colocados en ese santuario. Las circunstancias de aquella época me obligaban también a empuñar el bastón, y quizá sin este sacrificio se hubiera fomentado la anarquía que quedó sofocada por un año. Me encargué del Ejecutivo sin hacienda pública, sin ejército, sin vigor las leyes y divididos en bandos los ciudadanos que tenían que obedecerlas. Se presentaron en ese tiempo los invasores en Tampico de Tamaulipas, y se me revistió con facultades extraordinarias para conservar la independencia de México y la forma de gobierno; usé de ellas con la moderación que es pública, y fueron repelidos los enemigos. Quedé, a pesar mío, con las facultades que el Congreso me transmitió para ver si podía contener varias revoluciones que observaba el gobierno, aunque cubiertas, pero que de cuando en cuando despedían centellas. Al fin brotó de los escondrijos el pronunciamiento de Campeche y siguió el de diversa naturaleza en Jalapa. Yo vi entonces amagada mi patria de una guerra horrorosa e interminable, y traté de obstruir los pretextos: reuní al Congreso, dimití las facultades, se me volvieron a repetir y de nuevo volví a renunciar; insisten los pronunciamientos y me pongo a la cabeza de una respetable división; al salir de México los pueblos de mi tránsito se reunieron a mí, con sus fuerzas y auxilios para hacer la guerra, y no hubiera sido difícil acercarme a Puebla con seis o siete mil hombres; pero atacan en la capital al gobierno en un estrado, y creyendo la exaltación de las pasiones era necesario obrar ya con la espada desnuda y romper los diques de los lagos de sangre mexicana.

En este caso, señor, ¿sería cordura presentarme en el campo de batalla con un ejército que se me encomendó, dejándole defender mi causa propia? Lejos, muy lejos de mí, tales ideas, y por consiguiente debía retirarme, como me retiré, a aguardar que las augustas Cámaras se reunieran para que decidan las razones y las leyes lo que no es dado a las bayonetas. Por eso, separándome del ejército que se me encomendó, dejándole al cargo del general don Ignacio Mora, me retiré con una pequeña escolta hasta este punto, en donde permaneceré hasta que la voluntad nacional no interrumpa mi sosiego. Yo no conozco más causa que defender que la libertad de mi patria, que la soberanía de los estados y que el respeto a las instituciones juradas solemnemente. Para sostener estos principios desenvainaré mi espada, prescindiré de lo más caro y acabaré con gusto mi existencia. Del Congreso General y de los particulares de los estados soy súbdito. A ellos invoco, y sólo de ellos espero preceptos, sean cuales fueren. El bastón de presiden-

te de la República lo deposito en el poder nacional: sus representantes harán el uso que estimen por conveniente de él, en la inte-
ligencia de que la soberana resolución de las augustas Cámaras sobre este particular, juro sostenerla como la verdadera voluntad de
la nación, hasta con la última gota de mi sangre, pues no soy otra
cosa que un soldado de la patria. Señor. El último súbdito de la
nación. Vicente Guerrero.»

Para darle legitimidad a la usurpación, el día 18 de enero la
Cámara de Senadores aprobaba por veintidós votos contra tres el siguiente artículo único: «El general Vicente Guerrero tiene imposibilidad moral para gobernar la República.» Cuatro días después, la
Cámara de Diputados aprobaba el mismo dictamen, en el que se
hablaba de que «... otros recuerdan sus gloriosas heridas que, teniéndolo enfermo habitualmente, lo despojan de la fuerza indispensable para dedicarse a las arduas tareas del Gobierno».

La verdad es que la mayoría de los diputados comulgaban en
ideas con los jefes militares de Jalapa; en lo que no estaban de acuerdo los más sensatos era en establecer la «imposibilidad moral» del
general Guerrero para gobernar al país. Algunos propusieron que se
suprimiera del texto la palabra MORAL y dijera simplemente: «El
ciudadano general Vicente Guerrero tiene imposibilidad para gobernar la República.»

Esta apreciación era injusta a todas luces; en el ánimo de los ju-
ristas estaba que sólo los enajenados mentales están incapacitados
para todo menester y el general Vicente Guerrero no estaba loco. Ya
el diputado don Andrés Quintana Roo, refiriéndose a este vergon-
zoso asunto, inteligentemente había afirmado en su voto particular
que había que calcular para el futuro las consecuencias de este dictamen siempre que la mayoría del Congreso quisiera separar a alguien del mundo sólo por carecer de aquel grado de ilustración que
a juicio de los calificadores fuera necesario para desempeñar el puesto de presidente de la República.

«Es un decreto —decía Quintana Roo— que deja en falsa posición a todos los que entren a mandar en lo sucesivo. Los hechos de Guerrero probarán nula administración pero no incapacidad moral.» Y concluía con sarcasmo: «... que aunque fue buena su elección, en el tiempo de su mando le sobrevino incapacidad moral, y que con tal que no vuelva a pensar en la silla, lo dispensamos de la residencia en San Hipólito». Al mencionar a San Hipólito, se refería al manicomio que llevaba ese nombre.

El día 1 de febrero, la Cámara de Diputados aprobaba el decreto, excluida la palabra «moral», por veintitrés votos, aunque nada se decía en él sobre actos electorales. De derecho, el general don Vicente Guerrero seguía siendo el presidente de México y Anastasio Bustamante el vicepresidente; de hecho, había dejado de serlo.

# Capítulo X
## — El proceso —

E<small>L</small> gobierno no solamente había derrocado a Guerrero, sino que lo perseguía militarmente, tanto a él como a los jefes que se habían declarado partidarios del federalismo, al tiempo que perseguía políticamente a sus simpatizantes. El maquiavelismo de Bustamante y sus allegados les hizo tomar el acuerdo de nombrar gobernador militar y comandante general en el Sur al general Nicolás Bravo, con la misión especial de que persiguiera a Guerrero.

Esta desafortunada comisión que Bravo se vio, como militar, obligado a cumplir, sería la causa de graves consecuencias al buen nombre y prestigio de este valiente y patriota soldado. La presencia de Bravo en el Sur se debía, en apariencia, a que el coronel Juan Álvarez, comandante militar de Acapulco, con fecha 3 de enero de 1830, informaba al gobierno: «El Excmo. Sr. general Vicente Guerrero está en Tixtla, solo, y al irle a cumplimentar las autoridades de aquella ciudad ha expuesto que ya no es presidente ni general y sólo sí un ciudadano vecino de Tixtla. Que allí cultivando los campos tendría la gloria de sostener a su familia libre de los azares de la Corte.»

Ni por eso lo dejaron en paz. Tanto por la falta de madurez cívica del pueblo, como por la desmedida ambición de los políticos, ciertamente se habían registrado anomalías en las elecciones de los Congresos locales y de gobernadores; por ello fue fácil encontrar motivos para anularlas; así lo hicieron con todos los que convenía; más claro, con los que habían manifestado su simpatía y apoyo hacia la Administración del general Guerrero. Tal fue el caso de don José Salgado, cuya destitución como gobernador del estado de Michoacán, considerada injusta y errónea, iba a dar origen a una nueva sublevación. Bustamante quitaba a algunos gobernadores y los sustituía por sus incondicionales, así fueran los más inmorales y corrompidos, como sucedió en Querétaro con Domínguez, un crapuloso habitual.

Este descontrol administrativo acarreó la consiguiente anarquía en el ejército. Por informes que el comandante militar de Tlapa daba al general Bravo con fecha 27 de febrero, se sabía del apoyo de los soldados a Guerrero.

Le decía: «Espero también me diga qué debo hacer con varios soldados que se me están presentando con licencia temporal, que son del regimiento número 11, antes conocido por escolta del señor Guerrero, pues a mí me parece son emisarios que andan alucinando a los indígenas de los pueblos, diciéndoles, según se me ha dicho, que se quitó a Guerrero de presidente por negro, que los blancos quieren acabar con indígenas y negros.»

Poco tiempo después de haber tomado el poder, Bustamante ordenó la aprehensión del diputado don José María Alpuche e Infante, sólo porque lo consideraba jefe de la facción oposicionista, acusado desde luego de planear una sublevación. Era la moda entonces; a todos los enemigos se les acusaba de organizar rebeliones. Ya desde Querétaro, cuando Guerrero aún estaba en el poder, Alpuche le había patentizado su adhesión propia y la de más de dos mil hombres. Después de que recibió órdenes de que avanzara en socorro del presidente, ocupó Toluca y pudo haber llegado a la capital, mientras Álvarez, por su parte, hasta con cierta facilidad se hubiera apoderado de Cuernavaca. Pero Guerrero, asqueado de la insolencia moral del medio y más que todo tratando de evitar más derramamiento de sangre, abandonó el poder y se fue al sur, buscando la protección de sus inhóspitas montañas.

La prensa de la época, al servicio del poder, no desaprovechaba la ocasión para atacar y ridiculizar a Guerrero, provocándolo, acusándole de no ser capaz de tomar las armas, ni ser buen ciudadano, ni buen general; se le acusaba de falso, jugador y mujeriego, tal como lo hicieron los realistas con los más connotados insurgentes; le negaban neciamente el mérito de haber tomado jamás plaza alguna; de ir de cerro en cerro y escapar a los primeros disparos, añadiendo perversamente que si en 1821 Iturbide no lo hubiera aceptado dentro del Trigarante, su nombre se hubiera perdido en la oscuridad de los hechos; también aseguraban que por su impericia no había podido sostenerse en la presidencia, ni luchado contra el pronunciamiento del ejército en los postreros días de su mandato.

Pero la inconformidad contra Bustamante creció con la velocidad con que sus desatinadas medidas y errores así lo reclamaban. En toda la Costa Grande y el sur de Michoacán se levantaba el pueblo siguiendo la justa causa del héroe despojado y perseguido. Guerrero tenía la certeza de que se le quería asesinar; se lo había hecho saber el padre Alpuche en una carta en la que le advertía «que la persecución era horrorosa y que aforrara el pescuezo en cobre, porque habían sacado de las cárceles de México seis asesinos bien pagados, con objeto de asesinarle».

Acompañado de algunos soldados, Guerrero se dirigió a uno de los puntos más abruptos de la Sierra Madre, desde donde por escrito dio a conocer las razones de su ostracismo, dictó órdenes y lanzó proclamas en apoyo del *Plan de Codallos,* un coronel del mismo partido que desde el cerro de Santiago Barrabás sostenía su apoyo a las legislaturas y gobernadores despojados y exigía la separación del gabinete bustamantista de Alamán y Facio.

El 16 de marzo el coronel Álvarez, declarado partidario de la causa de Guerrero y en abierta inconformidad con los usurpadores de la ley, lanzó un plan donde pedía:

«Artículo 1.—Que se deje al Congreso General y particularmente de los estados obrar libremente y que ninguno sea anulado con la ilegalidad que se ha verificado, ni se les impida terminar su misión a que los pueblos los destinaron».

Artículo 2.—Que se proceda a la elección de presidente y vicepresidente de la República, haciendo nueva convocatoria con arreglo a la Constitución.»

Artículo 3.—Que se notifique a todos los estados, distritos y territorios el juramento de que no ha de regir otro sistema que el Federal, Representativo y Popular.»

Artículo 4.—Que el sur no largará las armas hasta no ver restituida la soberanía de todas las honorables legislaturas de los estados.»

Propuesto a capturar a Guerrero, el general Bustamante poco a poco le estrechaba el cerco con tropas al mando de jefes de probada lealtad y furibundos enemigos del presidente derrocado. Para cubrir toda posible salida, al norte de la región donde se movía Guerrero estaba Bravo; al oriente, con el nombramiento de jefe de los contingentes de Oaxaca, estaba don Joaquín Ramírez Sesma, aquel que en un arranque incontrolado había dicho: «Con la piel del negro Guerrero me voy a hacer unas botas.»

Ante los atropellos y desviaciones políticas del usurpador, más que por venganza o resentimiento y como medida de seguridad para su vida, Guerrero cumplía su promesa de «desenvainar la espada para defender aquellos principios libertarios». Y no solamente defendía el federalismo con las armas, sino también con la pluma, pues no cesaba de enviar cartas a los ayuntamientos y amigos, invitándoles a tomar las armas contra los enemigos de la institucionalidad.

Pero el cerco contra Guerrero continuaba estrechándose a pesar de que a esas alturas sólo le acompañaban muy pocos hombres. Presintiendo su muerte, el general Guerrero dictó su testamento ante el notario público don Jesús B. Morales, en el que dispuso la distribución que debería hacerse de sus escasos bienes.

Alarmado Bustamante por las sucesivas derrotas de su gente, con fecha 9 de diciembre giró instrucciones a Bravo en el sentido de que no traspusiera el río Papagayo; que por el contrario tratara de atraerse al enemigo a Chilpancingo, base de sus operaciones. Además mandaba se ofreciera a perseguidos y enemigos políticos una curiosa amnistía: a los generales y coroneles que acaudillaban grupos de más de quinientos hombres, se les obligaría a residir fuera de la República por seis años, con sus sueldos al corriente; de coronel para abajo saldrían por tres años, con idénticos derechos; a los sentenciados a muerte se les conmutaría la pena, a cambio de seis años de destierro, o tres por lo menos, con iguales auxilios económicos. Como se ve, la indulgencia de Bustamante consistía en dejar sin patria a sus enemigos personales, importándole poco gargar a la nación los sueldos de los desterrados sin prestar servicio alguno, con tal de que le dejaran disfrutar del poder usurpado.

A la sazón, el general Guerrero se encontraba en Taxco, desde donde envió dos escritos al coronel Cesáreo Ramos, que se encontraba en San Jerónimo, por los cuales es posible darse cuenta de que el presidente derrocado había tomado la decisión de atacar a sus perseguidores en su propio cuartel general; esta decisión, que habría de ser histórica, marcaría el destino definitivo del gran soldado.

Efectivamente, el general Guerrero avanzó sobre Chilpancingo al frente del contingente de las costas, pero engrosando su fuerza con las divisiones de don Juan Cruz y Mongoy, quienes presurosos marchaban a reunírsele. Como medida estratégica, Guerrero abandonó el camino que llevaba al pueblo de Petaquillas, distante dos leguas al sur de Chilpancingo, tomando las brechas de la serranía y acampando el 29 de diciembre en las lomas de Fontequiquil, estribaciones del gran cerro del Molino, que se levanta entre Tixtla y Chilpancingo, de cuya cumbre tomó posesión.

Temeroso Bravo de un golpe sorpresivo, durante la noche del día 30 atrincheró como avanzada a una parte de su gente en La Cruz; temía que la gente de Guerrero bajara hasta los linderos de la población y lograba así dos objetivos: un ataque que lo tomara descuidado y ocultar la verdadera fuerza con que contaba y que era respetable.

Su propia división se componía de 300 hombres pertenecientes al 7.º Batallón Permanente; 100 hombres del Activo de Michoacán; 270 del Local de Chilapa; 120 de la Sección de Morales; más 80 caballos del 2.º Y 6.º Permanentes, con dos cañones y dos obuses de montaña, más 138 hombres de caballería y todos los civiles armados, cuya tarea era la de patrullar el valle y echarse sobre los fugitivos, en caso de que se lograra la victoria.

En la fortaleza que aquel jefe había hecho levantar para el caso de una defensa angustiosa, se había dejado a los soldados enfermos o viejos y a cincuenta reclutas de Chilapa. Hasta entonces contaba con 830 hombres de infantería, 280 de caballería, cuatro piezas de artillería, más los civiles armados en número desconocido, los que deben haber sido muchos, ya que Bravo era nativo del lugar y, encontrándose en su tierra y ante la amenaza de su ataque, sus innumerables amigos y simpatizantes se le unieron.

El día 31, el general Guerrero ordenó romper el fuego con una culebrina de calibre seis, la que había sido instalada en un paraje denominado La Rastra, desde donde los atacantes lograron hacer llegar algunos proyectiles hasta la población, pero sin causar daños considerables. El jefe de la plaza decidió no dejarse ser atacado en la población y, a las dos de la mañana del 1 de enero de 1831, sigilosamente emprendió la marcha con dirección al norte, con la intención de atacar por la retaguardia, logrando su objetivo, pues al amanecer se hallaba a tiro de cañón del campo principal enemigo,

Anónimo: *Vicente Guerrero.* Óleo sobre tela, siglo XIX. Museo Nacional de Historia, INAH.

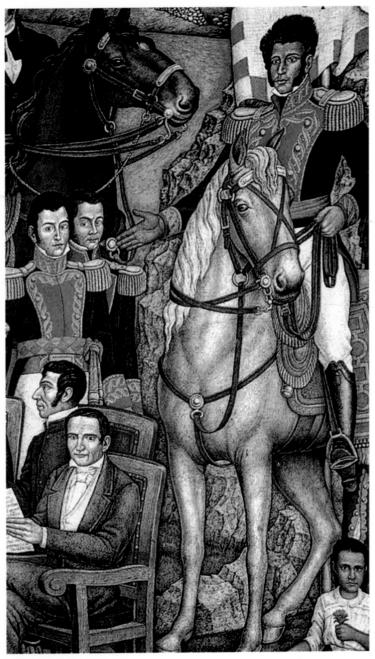

Juan O'Gorman: *Historia de la Independencia mexicana,* detalle mural.
Museo Nacional de Historia, INAH.

D. VICENTE GUERRERO, nació en el Pueblo de Tixtla el 10 de Agosto de 1782, y murió fusilado en el de Cuilapa el 14 de Febrero de 1831.

V. de Murguia é hijos.

L. Garcés: *Vicente Guerrero*, en Manuel Rivera, 1874.

Miguel Noreña: *Vicente Guerrero*. Bronce. Jardín de San Bernardo, México, D. F.

El Exmo. Ciudadano Gral. y actual miembro del Poder ejecutivo Vicente Guerrero; infatigable defensor de los dros. de su Patria, fue gravemente herido en la accion que dio á los imperiales.

Luis Montes de Oca: *Vicente Guerrero,* grabado sobre metal en el Calendario Histórico y pronóstico político para 1824 de José Joaquín Fernández de Lizardi. Biblioteca Nacional, UNAM.

Ramón Sagredo: *Vicente Guerrero, 1865*. Óleo sobre tela. Palacio Nacional.

Anacleto Escutia: *Vicente Guerrero, 1850*. Óleo sobre tela, 105 × 84 cm.
Museo Nacional de Historia, INAH.

Santiago Hernández y litografía de Iriarte: *El abrazo de Acatempam.* Litografía,
13,5 × 9,5 cm. 1873.

con él al frente y la espalda a Tixtla, evitando así que Guerrero pudiera recibir algún auxilio de su pueblo natal.

Inmediatamente, ambos ejércitos se desplegaron en línea de batalla, rompiendo el fuego la fuerza de vanguardia del usurpador Bustamante al mando de Bravo, con su artillería y, tras el ablandamiento, se lanzaron sus tropas al asalto. La situación a Guerrero se le presentó desde un principio embarazosa, ya que no le quedaban más que cuatro posibilidades, todas difíciles.

Una era volverse por la ruta por donde había llegado, lo que equivalía a una vergonzosa huida; otra, arrojarse temerariamente sobre Chilpancingo, suponiéndola desguarnecida, que no lo estaba; una más, intentar llegar a Tixtla, cosa casi imposible por tener, además del enemigo de por medio, varias partidas de civiles armados y una fuerza de cincuenta hombres de caballería como obstáculos, y una cuarta, que era lanzarse al ataque, decisión que Guerrero eligió, pues las otras, fuera de que ponían en evidencia su calidad de soldado, constituían serio peligro porque daban a Bravo la oportunidad de que atacara sus flancos desguarnecidos.

Fue una lucha violenta y encarnizada, en la que en un primer momento la situación pareció favorecer a Guerrero. En ese crítico momento para las fuerzas de Bravo, llegó en su auxilio un contingente que procedía de Chilapa y que le permitió seguir sosteniendo el combate. También acudieron en su apoyo las tropas de reserva, que le permitieron decidir la suerte a su favor sobre las fuerzas de Guerrero, a las que dejaron más de 300 muertos, 104 prisioneros, cuatro cañones, 150 cohetes, 80 lanzas, 28 fusiles, 250 balas, 300 estopines y 80 lanzafuegos.

Las bajas gobiernistas confesadas apenas si se llegaron a 44 hombres muertos y 90 heridos. Los costeños que lograron salvarse regresaron a su terruño, escudándose en la espesa vegetación de la Sierra Madre. El combate del Molino marcó la suerte definitiva del presidente Guerrero. Después de que escapó con vida de aquel encuentro, solitario vagó por la serranía durante varios días, con las ropas raídas, jinete en una mula sin silla, protegiéndose del sol con un sombrero viejo de palma. Todavía le sobró humor para llegar sonriendo al pueblo de Texca, donde algunos de sus jefes de momento no lo reconocieron.

Ya se ha dicho que al usurpar el poder Bustamante, éste obligó a la Cámara a promulgar el decreto del 4 de febrero de 1830 en el que se declaraba al presidente Guerrero incapacitado para gobernar el país. En las postrimerías de aquel año llegó a la capital de la República el capitán de la marina mercante italiana Francisco Picaluga, haciéndose aparecer como propietario del bergantín «Colombo». Este marino genovés, según lo supieron los hombres del Gobierno, tenía excelentes relaciones de amistad y de negocios con los revolucionarios del sur y principalmente con el general Vicente Guerrero.

Bustamante, en contubernio con sus ministros José Antonio Facio, de Guerra, y el ultraconservador Lucas Alamán, de Relaciones, contrataron con el italiano la entrega de la cabeza de «su gran amigo» Vicente Guerrero, por el precio de 50.000 pesos. El marino genovés, luego de celebrar su nefasto convenio, se dirigió al puerto de Acapulco, en cuya bahía permanecía fondeado el «Colombo».

Simultáneamente fue enviado al puerto de Santa Cruz Huatulco, estado de Oaxaca, el capitán Miguel González, al mando de una fuerza militar, con instrucciones precisas de formar sumaria a todos cuantos por su tropa fueran aprehendidos. Este individuo era de la confianza del ministro Facio y muy adecuado para aquel crimen de sangre. González marchó acompañado de otro oficial de su mismo grado, don José María Llanes, quien desde la capital llevaba en el bolsillo el carácter de fiscal, con instrucciones precisas sobre la función que iba a desempeñar.

En cuanto Picaluga arribó a Acapulco, con el pretexto que le daban sus relaciones amistosas, entró en contacto con el general Guerrero, invitándole a un banquete a bordo del «Colombo». Al terminar el banquete, sin explicárselo nadie, el bergantín levantó anclas dándose a la vela con dirección a los litorales oaxaqueños, donde ya los aguardaba González. Sorpresivamente la tripulación se presentó armada y redujo a prisión a los comensales; entre los amotinados había cívicos de Acapulco que a propósito Picaluga había hecho esconder en los camarotes.

El traidor, fingiendo asombro él mismo por los hechos, cínicamente se excusó explicando que aquel motín sería sin consecuencias y que sin duda la euforia de la tripulación era consecuencia del vino consumido. A pesar de las airadas protestas del propio Vicente Guerrero, quien por ello fue abofeteado y engrillado, en esos instantes sonaron varios cañonazos disparados por ambas bandas. Después se supo que eran la contraseña convenida para que salieran a Chilpancingo, dando aviso de que la acción estaba consumada.

El «Colombo» y su precioso cargamento, después de diez días de navegación, arribó al puerto de Santa Cruz Huatulco la mañana del 23 de enero, donde ya les aguardaba el sicario Miguel González y acompañantes. Y como iban a lo que iban, de inmediato aquellos miserables abrieron una averiguación sumaria, calumniando a Guerrero, el principal prisionero, de crímenes que jamás había cometido.

El 31 de enero, durante la sesión de la Cámara de Diputados, acosado por su conciencia y apremiado por la opinión de algunos miembros del Congreso y de la gente del pueblo, se presentó el ministro de la Guerra a dar a conocer las noticias referentes al triunfo de Chilpancingo, considerando como consecuencia lógica de aquel hecho la aprehensión del presidente Guerrero. Pero aquel infame hecho se había fraguado en el Consejo de Ministros y así se confirmó tiempo después.

Fue entonces cuando se supo que ,tres meses antes de la traición, el genovés Picaluga había fondeado su barco en Acapulco procedente de Guayaquil, pero sin pagar al Gobierno los derechos por concepto de aduana, que sumaban más de dos mil pesos. Sabedor del compromiso en que se hallaba el aventurero, el ministro Facio, ni tardo ni perezoso, vio la posibilidad de sacar partido de aquella situación, lo citó en su casa y le hizo ver los privilegios que obtendría si aceptaba brindar su ayuda para capturar a Guerrero.

Volvió a verlo algunos días después, entrando por fin en materia al comentar la amistad que Picaluga confesaba con orgullo le unía a Guerrero, así como que le era deudor de favores y consideraciones. Casi al terminar la conversación le propuso el plan y manera de aprehenderlo, en compañía de Álvarez y demás jefes, ofreciéndole por sus servicios la suma de 10.000 pesos. Se sucedieron las entrevistas en las que el ministro de la Guerra fue aumentando la suma ofrecida, hasta llegar a los 50.000 pesos. El acuerdo a que ambos habían llegado fue que, teniéndolo en su poder, lo llevaría a Huatulco, donde habría un destacamento gobiernista cuyo jefe, impuesto del plan, completaría la sucia maniobra.

Han sido motivo de discusiones y acaloradas polémicas las afirmaciones hechas por algunos investigadores sobre la participación del general don Nicolás Bravo en la traición contra Guerrero. Varias son las causas por las que se sospecha de él:

1.—Ambos personajes eran de distinto origen; mientras don Nicolás Bravo era descendiente de hacendados, don Vicente Guerrero lo era de campesinos.

2.—Su disímbolo origen proyectó su idiosincrasia hasta la edad madura; así Bravo encabezó en las luchas políticas a los Escoceses, grupo masónico identificado como de ideas conservadoras, en tanto que Guerrero fue cabeza del grupo Yorkino, de ideología netamente liberal.

3.—A la sublevación que tomó como bandera el *Plan de Montaño*, encabezada por el vicepresidente de la República, don Nicolás Bravo, el presidente Guadalupe Victoria la sofocó comisionando a Guerrero; como se vio, éste salió vencedor en Tulancingo, lugar donde no solamente tomó prisionero a Bravo, sino que lo pudo haber fusilado. Esta afrenta jamás la perdonó el vicepresidente Bravo.

4.—La persecución desatada sobre el presidente Guerrero dio magnífica oportunidad al usurpador Bustamante y a su ministro Facio para que, soslayando la ocasión de que Bravo tomara venganza, lo nombraran jefe militar del sur.

Ya prisionero Guerrero, sus verdugos iniciaron en Huatulco el sainete de juzgarlo. Se iba a juzgar a un hombre inocente, investido aún con el carácter de la más alta autoridad del país y, como no tenían fundamento en que fincar sus acusaciones, no tuvieron empacho en echar mano de la calumnia.

Sin desembarcarlo del «Colombo», porque el puerto de Huatulco no contaba con las instalaciones adecuadas más a la seguridad que a la comodidad de Guerrero, el 25 de enero, usando la propia cámara de dicho bergantín el capitán José María Llanes, habilitado desde la ciudad de México como fiscal, procedió durante cuatro días consecutivos a interrogar al cautivo y, como complemento de la mascarada, al resto de los prisioneros.

Sólo don Manuel Primo Tapia y don Lorenzo de Zavala, para separarlos de Guerrero, fueron transbordados a la goleta «El Francisco», de nacionalidad colombiana, a la sazón surta en Huatulco; se intentó así una especie de incomunicación.

El primero en ser interrogado fue el genovés Picaluga, quien declaró que «habiendo llegado el 23 de junio de 1830 al puerto de Acapulco en ocasión de que era comendante de la plaza don Nicolás Bravo, con permiso de éste embarcó en su buque varias personas y diversos efectos; que a principios de octubre Guerrero y Álvarez entraron a Acapulco, y de ellos solicitó permiso, que le concedieron, para pasar a la capital a arreglar sus cuentas; que hallándose en México supo que los pronunciados disponían a su sabor de su embarcación y de los intereses confiados a su custodia, y regresando al puerto halló ser todo cierto, y de nuevo se vio atropellado en dicho buque pues se le ordenó salir de inmediato; que considerándose en peligro de perder su honor al ver embarcados en su bergantín a varios partidarios de Guerrero y a éste mismo, dispuso en aquel acto hacerse a la vela y arrestar a todos los que se hallaban a bordo y dirigirse a un puerto que se encontrara libre de la dominación de aquel general, y habiendo tomado la dirección de Huatulco, fondeó en él, no esperando hubiera tropas del gobierno, y fue sorprendido por el capitán don Miguel González, a quien inmediatamente le manifestó y presentó a los individuos para que dispusiese de ellos, quedando a disposición del supremo gobierno su persona y buque para no faltar a su gobierno y a su deber».

El segundo en declarar en calidad de testigo fue el primer piloto del «Colombo», de nombre Andrés Faccim, que abofeteó y engrilló a Guerrero, quien instruido de la finalidad y dispuesto a encubrir a su superior, más o menos declaró lo mismo que aquél. Fueron requeridos como tercer y cuarto testigo los marinos genoveses Mariano y Manuel Merisna, quienes bajo la presión de Picaluga confesaron lo mismo que los anteriores.

El quinto declarante fue un tal José Mengot, quien dijo ser natural de Acapulco y teniente de Cazadores de la Milicia Cívica de aquel puerto. A lo anterior declaro que «... hallándose sujeto a una rigurosa persecución por las tropas del general Guerrero, por no haber querido tomar parte en la Revolución, tuvo que ocultarse primero en los montes y después en el *Colombo* y que llevaba dos días de estar escondido en éste, cuando oyó voces de alarma de los marineros que le movieron a saber qué era, y halló que sorprendían al general Guerrero y a los que le acompañaban, lo que le hizo prestarse en la parte que pudo a la prisión de esos sujetos».

Siguieron en turno tres caoneros, de los ahora llamados lancheros, todos de Acapulco, quienes respondían a los nombres de Rafael Trinidad, Jerónimo del Rosario y Pedro Alcántara de la Vega, los que declararon, y se supone que en realidad así era, que nada sabían sobre los motivos de las prisiones, por lo que fueron puestos inmediatamente en libertad.

En seguida el fiscal Llanes y su secretario bajaron a la cámara donde les aguardaba Guerrero, quien a interrogación explícita dijo tener cuarenta y siete años, ser casado y tener como empleo el de general de división de la República Mexicana. Preguntado cómo había venido a dar al buque, dijo: «... que, habiendo despachado a un comisionado por un poco de maíz y otras semillas en este mismo buque, al rumbo de Zacatula, al darle las instrucciones al comisionado, respondió el capitán de este buque, don Francisco Picaluga, con una invitación al declarante para ir a tomar la sopa a bordo, a lo que condescendió conmovido por la antigua amistad que han profesado; al despedirse de su amigo Picaluga fue sorprendido por varios sujetos, de quienes sólo conoció a don José Mengot, oficiales cívicos de Acapulco, y a un tal Rico, guardia del mismo puerto, ignorando quiénes fueron los demás. Que inmediatamente fue recibido por éstos de orden del mismo Picaluga y puesto en la cámara de dicho buque».

Guerrero fue interrogado sobre las fuerzas que tenía en el rumbo del sur y en Acapulco y las razones por las que había tomado las armas para contrariar al gobierno. Al respecto, respondió que «por la persecución horrorosa que observó, bien en los papeles públicos como en la proximidad de las tropas, en persecución de su persona». Preguntado por qué había tratado de sublevar a los indígenas en contra de la gente de razón, dijo «... que enteramente desconoce esta pregunta, cuyos fundamentos jamás han estado en su modo de pensar, y lejos de eso los ha inducido desde el año de 1810 a hacerse independientes de la dominación española».

Para el día 4 de febrero ya se encontraba el general Guerrero confinado e incomunicado, como vulgar criminal, en una de las celdas del convento de Santo Domingo de la ciudad de Oaxaca, donde se le siguió juzgando.

A su declaración preparatoria se agregaron varios documentos que obraban en poder de los prisioneros, unos dirigidos a Picaluga por don Vicente Guerrero y don Miguel de la Cruz, donde se dejaba al traidor genovés en completa libertad para entregar a sus dueños los efectos embarcados en el «Colombo» y disponiendo tuviera listo su buque para zarpar al puerto que se le indicase, aclarándole que su flete sería cubierto a satisfacción.

El día 6 de febrero el fiscal pasó al comandante general la sumaria, porque a su parecer merecía ser elevada a proceso, el que hasta entonces se componía de cincuenta y siete hojas útiles. Se pasó el expediente al licenciado don Ignacio Villasante, quien fungía como asesor jurídico, para que lo continuara hasta ponerlo en estado de verse en Consejo de Guerra. Se agregó una carta más de Guerrero, dirigida a don Juan Riego, documento significativo por cuanto a que no se le podía culpar de forajido, en la que entre otras cosas le decía: «... el sistema nuestro no es embargar a nadie nada, ni consentir que el comercio, ni las fincas, resientan el más mínimo perjuicio».

Además, y aquí se demuestra la vileza de sus detractores, la copia de una carta autorizada por el gobierno de Bustamante conteniendo una calumnia; la calidad de ella acaba de pintar de cuerpo entero al usurpador. La carta, dijeron, había sido enviada por un agente secreto de los jalapistas en Nueva York y se refería a que el presidente Guerrero había ofrecido negociar con el gobierno de Estados Unidos la provincia de Texas a cambio de reales (dinero) y armas para continuar la guerra.

El día 7 el fiscal pidió al mayor de plaza una lista de oficiales subalternos para que de entre ellos don Vicente Guerrero eligiera defensor, recayendo tal nombramiento en el teniente de zapadores Mónico Villa. Aquel mismo día se hizo comparecer al detenido para que por primera providencia confirmara, como lo hizo, la declaración preparatoria rendida en el «Colombo» y someterlo a nuevo interrogatorio.

En el expediente relativo a esta segunda declaración, está asentado: «Ante mí, Margarito Gómez. Confesión con cargos número 2. A los ocho días de dicho mes y año, con asistencia de mi secretario, pasó al convento de Santo Domingo el señor juez fiscal, para poder seguir las actuaciones que en la noche anterior se paralizaron por indisposición del reo, a quien teniéndolo presente le fue preguntado: con qué derecho se puso a la cabeza de la revolución de la Acordada, para sobre las ruinas de la nación y de los intereses de los particulares, erigirse él mismo presidente. Dijo que esa revolución fue promovida por el general Santa Ana, y que el mismo día que iba a darse la voz en Jalapa o Veracruz, tuvo carta el declarante de un particular, que inmediatamente pasó a mostrársela al señor Victoria, haciéndole ver que se iba a tomar su nombre, y que esto pasó delante del señor Velasco, quien no hizo aprecio de este aviso; que aunque le fueron a invitar varios individuos armados para que se pusiese a la cabeza de dicha revolución, a nombre del conde de la Cadena, con quien nunca ha tenido el más leve conocimiento, se excusó de ello por hallarse enfermo de calentura; que si verificó su venida a México fue al llamado del supremo gobierno, quien le ordenó se encargase del Ministerio de Guerra. Reconvenido, como dice no se halló en los sucesos de la Acordada, cuando es público a toda la nación que la mañana del 4 de diciembre de 1828 se hallaba en el punto de la ciudadela, y que tanto los sublevados de este punto, como de los demás que existían en la capital, voceaban su nombre para a la sombra de él poder cometer todos los atentados que son demasiado públicos, dijo que el día que se le cita se hallaba en el pueblo de San Nicolás, en compañía del general Velásquez, que un día antes había estado en el punto de la ciudadela, de donde mandó un recado al general Pedraza, con el objeto de que se suspendiese el fuego; pero habiendo contestado el expresado señor Pedraza que ya era tarde, se separó de dicho punto y se fue por Ixtapalapa a la hacienda de la Compañía.

Preguntado: cómo después de declarado por las Cámaras separado de la presidencia, ha querido contra esta ley reponerse a fuerza de armas, dijo: que muy lejos ha estado de eso, porque al separarse de las tropas que sacó de México, supo en las inmediaciones de Santa Clara que ya se había pronunciado aquella capital por el Plan de Jalapa; que entonces resolvió retirarse a su casa, desde donde dio parte a las Cámaras de su resolución y que hasta el cabo de muchos días sólo recibió el recibo del señor Alamán y una carta particular, en que le decía que le parecía bien su resolución.

Preguntado: cómo ha dado facultades para conceder y ha concedido empleos, abrogándose las facultades del Ejecutivo que no ejercía, dijo: que de resultado que se hallaba al lado de unos jefes, que si no firmaba lo que ellos querían tratarían de faltarle, y como no tenía más apoyo para existir, que era estar en tierras de la costa, ésa fue la causa de proponer comisiones de que se hace mención; y como hasta entonces el gobierno de la nación no le había llamado ni como jefe, ni como subalterno, ni como ciudadano, tenía que sufrir y hacer cuanto aquellos señores querían.

Preguntado: cómo ha dado órdenes para tomar los intereses nacionales, y no alcanzándolos éstos los de todos los particulares que obedecían al gobierno graduándolos delincuentes, atropellando la constitución federal, que prohíbe para siempre la confiscación de bienes, dijo: que cuando se ofrecía dar alguna orden, que dichos señores le exigían, lo primero que le presentaban, si les convenía, eran las adiciones del plan del señor Codallos, el cual, en uno de sus artículos, decía: «Que se dispusiese de los bienes de los particulares», pero que el que declara tuvo buen cuidado de que en las inmediaciones donde se hallaba no se verificara.

Preguntado: cómo tenía armas ocultas en su casa, si no es porque su ánimo fue siempre revolucionar para elevarse por sí propio, dijo: que eran unos veinte fusiles viejos, que desde el año de la independencia se le habían quedado al Ayuntamiento, a quien se le dio para sus milicias; que cuando ya no los necesitaban, los guardaban en un cuarto de la casa de quien habla; que ni aun sabe que existían dichas armas.

Reconvenido: cómo dice que no sabía que tales armas existían en su casa, cuando consta en un párrafo de la carta escrita al alcalde de Xochipala, de fecha 26 de marzo de 1830, en que le dice que si tiene algunos hijos de confianza, que vayan a Tixtla a ver a su familia, y saquen los fusiles que puedan de los que hay en ella, y se los traigan a palacio, pero que sea con la mayor reserva, dijo: que la mañana que fue despachado a Zirándaro por Codallos, al irse, le exigió tal carta Palacios, diciendo que allí había visto las armas, como que vivió en la misma casa, cuando el que declara vivía en México.

Preguntado: cómo constante en su declaración que acaba de leérsele, que hallándose Codallos ocupando la Tierra Caliente se reunió a él, cuando debió saber que los planes del mencionado Codallos eran contrarios en todo, y opuestos a lo dispuesto y acordado por el Supremo Gobierno, a quien debió obedecer, dijo: que iba fugitivo y escaso absolutamente de todos recursos, y que hasta aquella fecha no sabía si las Cámaras y el Congreso habían dado por bueno el Plan de Jalapa, y particularmente cuando el gobierno no le daba ninguna orden, ni lo llamaba como un súbdito que era de él en caso de que ya hubiera estado establecido por las cámaras, que ése era el motivo por el que huía y buscaba auxilio el declarante.

Preguntado: cómo dice en su declaración haber tomado las armas sólo por la persecución horrorosa que dice había observado en los papeles, como la aproximación de las tropas contra su persona, cuando marchó a la Tierra Caliente, sólo a la defensa de ella, cuando pudo haberse dirigido al Supremo Gobierno para evitar esa persecución que supuso, y cuando ni por la defensa de su persona le es permitido a nadie el derecho de insurreccionar, dijo: que es verdad que cuando un gobierno ya establecido y aprobado por las Cámaras, y dado a reconocer, es delincuente el que se alarma contra él; pero que ignorante, como lleva dicho, si ya estaba aprobado, tomó ese partido para ver si de ese modo escapaba, ínterin tenían alguna resolución de las Cámaras a quienes había ocurrido; y que no queda ni la más leve duda de su persecución, cuando le habían seguido hasta la mina de Rivera, como lo tiene ya manifestado, y aun cuando observó los procederes del señor Juan Codallos, se fue para la costa, en donde todavía no había revolución.

Continuaba diciendo Guerrero que desgraciadamente a su llegada ya supo en Teipa (Tecpan, hoy de Galeana) que el señor Álvarez estaba reuniendo todas las tropas de la costa, y con esta noticia se fue a la sierra de Piedra Pintada, en donde permaneció desde fines de marzo hasta octubre, distante más de cuarenta leguas de donde hacía sus correrías el señor don Juan Álvarez.

Preguntado: cómo o por qué teniendo el recelo insinuado en la anterior pregunta, no se fugó o aseguró su persona en cualquier otra parte o lugar, en el que juzgase hallarse seguro y no que tomando correlaciones con aquellos corifeos que ocupaban la Tierra Caliente se reunió a ellos para asegurar sus conocimientos contra el Supremo gobierno al que debió en todo sujetarse, dijo: que el hambre y la necesidad le hicieron aproximarse e indagar también si Codallos había entrado en relaciones con el Congreso o alguna otra autoridad, y por haberse frustrado estas esperanzas, tomó la resolución de irse a la costa, como antes dijo.

Reconvenido: cómo en las anteriores preguntas niega el tener parte en la revolución del Sur, cuando en las cartas y documentos que se le han leído, se le encuentran noticias tanto en lo particular como oficiales, que da a Santa María González y Bruno, dijo: que eran las mismas que le daba el señor Álvarez, y que nomás le mandaba las cartas que él necesitaba para que las firmara el declarante, y que sólo con ese objeto tenía puesto un oficial a su lado.

Vuelto a reconvenir: cómo dice que estuvo separado de él, del mes de marzo hasta octubre, cuando todos los documentos que aparecen firmados por él son con las fechas en que dice se hallaba en la sierra, dijo: que a la sierra mandó Álvarez los documentos que firmó, y son de los que se le habla.

Preguntado: cómo constando en su declaración que las firmas que le dio en blanco a don Manuel Primo Tapia sólo fueron con el fin de dar parte al faccioso Salgado, de la comisión que llevaba el expresado Tapia, cuando en autos consta que el objeto que le hizo fue el de asegurarse e imponerse de la fuerza con que contaba, así dicho Salgado, como Codallos y Montes de Oca, dijo: que no fue otro el objeto de las firmas en blanco más que el que tiene dicho antes, que uno para que supiera Salgado que estaba allí el buque, por si mandara algunas semillas, como antes tenía ofrecido al señor Álvarez; que no podía prevenirle antes nada, con respecto al señor Montes de Oca, cuando sabía el declarante que un día antes había llegado a Teipan, como igualmente el que se estaba carteando con el Supremo Gobierno.

Reconvenido: cómo dice en una de sus respuestas anteriores que el Supremo Gobierno jamás lo invitó, ni lo llamó por conducto alguno, cuando el señor diputado Primo Tapia se llegó a su persona, a nombre del Supremo Gobierno, que dejando las armas, saliese de la República, eligiendo el punto donde quisiera situar su residencia, pagándole en él sus sueldos y costeándole su transporte, no adoptó tan benéfica propuesta, y si se opuso a ella, continuando la guerra, dijo: que poco antes que marchara Álvarez a Chilpancingo, llegó el señor Tapia, a ver cuál era su resolución, hasta el cabo de días que no tiene presente, dijo: que fuera el declarante con Tapia para que le contestara, y que cuando el declarante y Tapia llegaron a la hacienda de Buenavista, que era donde los citaba Álvarez, ya había salido para Chilpancingo que está muy cerca, y que por el extravío que padeció el señor Álvarez ya no se pudo contestar.

Preguntado: cómo no pudiendo negar hallarse declarado por imposibilitado de desempeñar las altas funciones del Poder Ejecutivo de la República, trató y ha tratado de oponerse a esta resolución, haciendo fuerzas contra dicha declaración, que fue hecha por la soberanía nacional, dijo: que nunca se ha opuesto, aun no sabiendo que había semejante declaración; que nunca fue su ánimo lo prueba que las tropas que sacó de México las mandó de Xochipa y que lo que tenía y ha tenido ha sido la persecución de que ya ha hablado.

Reconvenido: cómo niega en lo absoluto haber acaudillado la revolución, cuando en todas las acciones dadas en el Sur aparece como principal en todas ellas, como igualmente su firma en todas las proclamas que le tienen manifestados, dijo: que es verdad que los documentos los ha firmado, según se lo ha exigido don Juan Álvarez; pero que no ha tenido conocimiento ninguno de las acciones, ni de parar tropa, ni el más mínimo en ellas; que una de las proclamas fue mandada de México al señor Álvarez para que la circulara, como lo verificó, siendo una de ellas la que se ha leído.

Vuelto a reconvenir: cómo ha dicho que por hallarse al lado de unos jefes que, si no firmaba lo que ellos querían, tratarían de faltarle, cuando también tiene declarado que a la sierra le mandaba Álvarez los documentos que debía firmar, en cuyo lugar no estaba al lado de ninguno de ellos, dijo: que aunque estaba en la sierra, siempre se hallaba a la vista de una partida inmediata, que allí tenía don Juan, al cargo de un tal Navarrete, y que éste estaba a la mira de sus movimientos.

Preguntado: por qué después de dada la batalla de Texca mandó arrestar, para que fueran fusilados, a los oficiales de la División del señor general Armijo, que marchaban bajo el seguro dado por Álvarez y capitulación hecha de que se les salvaría la vida y conservarían sus equipajes, dijo: que absolutamente se metió en nada de lo que se le pregunta, porque ni mandaba, ni tenía partida que haber mandado, como lo podrá acreditar el oficial Navarro, que dicen está prisionero en Chilpancingo.

Preguntado: por qué habiendo estipulado que la guarnición de Acapulco saldría con armas y vestuario, siendo libres de quedarse con él los soldados que quisiesen, viendo que ninguna se acomodaba a su partido, no sólo los despojó de las armas y vestuario, sino que cometió la inhumanidad de hacerlos marchar casi desnudos, sufriendo las inclemencias del clima, vergüenza y desabrigo, hasta los puntos donde encontraron tropas del Supremo Gobierno a las que se reunieron, siendo esto causa de haber desarrollado su furor dichos soldados en la acción de Teloloapán, dijo: que viniendo de la sierra alcanzó a don Juan Álvarez en el punto de Las Cruces, y allí manifestó a sus jefes, oficiales y tropa, estaban muy irritados contra los capitulados de Acapulco, porque al pie de dicho punto habían encontrado dos soldados muertos del señor Álvarez; que de resultas de esto estaban queriendo sus soldados, como en número de doscientos, quedarse en el mismo punto donde estaban los muertos, ponerse de emboscada y destrozar allí a los que tenían que salir de Acapulco capitulados; que entonces le manifestó el declarante al señor Álvarez que de ningún modo consintiese semejante cosa, que no le hacía ningún honor; y que entonces le dijo el señor Álvarez que protestaba que las armas se las llevarían; que Álvarez siguió su marcha para Acapulco a la cabeza de su división y en la entrada hizo alto y mandó llamar al que habla, y le dijo que hablase a la tropa que tenía que salir del castillo, que la mandara formar y que formase al frente de él; que así lo verificó y que luego que lo formó le habló a la tropa en voz alta, para que le oyeran aun las tropas de Álvarez, para que se le quitara la inconformidad. Allí usó de la voz: «Soldados, ¿me conocen? Todos respondieron que sí y les dijo el declarante: a ustedes no les conviene llevar las armas. ¿Quieren dejarlas? Todos a una voz dijeron que sí, y sólo un sargento dijo que si quería que los soldados llevaran sus armas, y los demás dijeron que no, que ninguno; que entonces se arrimó el señor Álvarez a donde estaban los oficiales y la tropa tendida, y dijo que si dejaban las armas era porque en todas sus partes había fallado Barbabosa a la capitulación; que había sacado todos los víveres del castillo, que los habían vendido y regalado a la población y que había dado cuarenta fusiles a unos acapulqueños, y que no hubo tal que quitarle a nadie la ropa, ni salirlos a alcanzar, pues aun les dio escolta que mandaba el mismo Navarrete, que deja dicho, quien fue mandado por el señor Álvarez.

Preguntado: por qué habiendo venido a la cabeza de una división a las inmediaciones de Chilpancingo, a batirse con la del ejército nacional fue causa para que pereciesen centenares de hombres, de lo que ha resultado la ruina de sus familias; y a la vez a los que le seguían los estuvo alucinando para hacerles creer la legitimidad de su presidencia, insinuándoles al efecto que México y Puebla lo reconocían por tal, hasta el grado de manchar la opinión del Excmo. Señor don Nicolás Bravo, con insinuaciones que se hallaba de acuerdo con él, y que sólo hacía una resistencia aparente, hasta dejarlo entrar sin tropiezo alguno hasta la capital de la federación, dijo: que no fue a la cabeza de la división; que el que anda a la cabeza es Álvarez, que el haber venido a alcanzar a dicho Álvarez fue porque tenía que contestar al gobierno sobre la comisión que para ellos había llevado Tapia, y que nunca ha usado de la expresión de legitimidad de presidente, ni menos podía decir que México y Puebla lo reconocían, y que en ninguna parte le habló a la tropa, y mucho menos estaba de acuerdo con el señor Bravo.

Reconvenido: cómo niega que estuvo en la acción de Chilpancingo, cuando en los primeros partes dados por el Excmo. Señor general don Nicolás Bravo al Supremo Gobierno aparece que venía mandando toda la división, pues los mismos prisioneros así lo declararon al expresado señor general Bravo, dijo: que no es cierto que él hubiere ido mandando la división; y que si no, sobre el archivo que le tomaron a Álvarez, a ver si hay alguna orden del que declara; que ese día de la acción que se salió muy temprano, como que no tenía que mandar allí, y se fue a hablar con un paisano suyo sobre el asunto de una deuda, en donde supo que Álvarez había sido derrotado y disperso, y de allí resultó que se fue.

Preguntado: cómo ha podido enajenar parte del territorio de la República, ofreciéndolo a Zavala y Poinset, en pago de dinero para continuar la revolución, como consta del documento que obra en las fojas 140 y 141, dijo: que absolutamente esta pregunta la desconocía; que con ninguno ha tenido contestación acerca de semejante asunto.

Preguntado: si tiene alguna cosa que añadir o quitar a cuanto tiene expuesto, dijo que no, y que todo es la verdad, en que se afirmó y ratificó, leída que le fue esta su declaración, la firmó con dicho señor fiscal y presente secretario. Nicolás Condelle. Vicente Guerrero. Juan Ricoy, secretario.»

Guerrero reconoció finalmente como suyas las firmas de cartas, oficios y proclamas que en el proceso figuraban y solicitó fuera suspendida la confesión de cargos por hallarse afectado del cerebro y con dos días de calentura. El día 8 se prosiguieron las actuaciones.

El general Guerrero, lego en estos menesteres, se defendió mal. Esta circunstancia fue aprovechada por sus acusadores para hacerle descender, en aquel supremo instante, de presidente de la República que era y de la gran altura en que sus patrióticos servicios le habían colocado.

Todos estaban confabulados contra él, hasta el ingrato Mónico Villa, su defensor, quien, pretextando hallarse enfermo, se excusó de la defensa. Comunicado el caso al comandante Ramírez y Sesma, nombró como nuevo defensor al subteniente Francisco Cossío, quien el mismo día dio su asentimiento. En su presencia se careó al general Guerrero con don Primo Tapia, sin que ocurriese diferencia de opiniones. Condelle entregó la causa al comandante general, fundándola en que se hallaba en estado de poderse juzgar en Consejo de Guerra. Así lo opinó también Villasante, puesto que los documentos a su parecer comprobaban «el grave, gravísimo crimen del delito de lesa nación».

El día 9 se devolvió la causa al fiscal, compuesta ahora de ochenta y cuato folios útiles, quien la entregó al oficial defensor. Cossío la devolvió el mismo día y el fiscal solicitó del comandante general los nombres de los vocales que formarían el Consejo de Guerra. Los trámites burocráticos y administrativos, de por sí engorrosos y dilatados, hicieron que estos villanos encontraran todos los caminos expeditos para dar pronto cauce a la consigna de sus amos.

El día 10, después de asistir a la misa del Espíritu Santo, se reunió el Consejo de Guerra en el convento de Santo Domingo, presidido por el coronel don Valentín Canalizo y formado por los capitanes Francisco Guizarnótegui, José Miguel Bringas, Santiago Torres, José María Borja, Cayetano Mascareñas, José Tato, Antonio Robelo, Luis de la Barrera, Ceferino García Conde y Pedro Quintana.

Hecha la relación del proceso y leída la defensa escrita por Cossío, el general Vicente Guerrero fue mandado comparecer ante aquel ilegal tribunal. Adivinando que era inútil cualquier justificación y para no dar lugar a ser víctima de mayores bajezas, Guerrero suplicó que se le eximiese de comparecer por no tener cosa alguna que alegar en su descargo. ¡Hasta en su desgracia conservó la dignidad aquel hombre!

Aun estando ausente, se le acusó no solamente de falsedades, sino que se llegó a la calumnia. Se hizo escarnio de la persona de aquel hombre que todo había dado a México sin reclamar nada. He aquí algunos de sus cargos: «... fomentó la revolución, dando y concediendo empleos a sus cabecillas, dispuso de rentas de la República, holló las capitulaciones y contrató la enajenación de la provincia de Texas».

«Vicente Guerrero —dijo el acusador omitiendo título alguno, ni siquiera por cortesía— se ha sustraído abiertamente a la obediencia que se le debe a un gobierno establecido. Vicente Guerrero, a fuerza de las armas, ha faltado a la soberanía nacional, atacando abiertamente y con fuerza armada lo dispuesto por ella, es decir, de haberlo quitado legalmente de la presidencia de la República y conseguir con la guerra reponerse a ella. Vicente Guerrero ha sublevado a los pueblos contra el soberano de la nación. Vicente Guerrero, en fin, ha sido la causa de la sangre que ha corrido en el territorio mexicano... ¡Víctimas inmoladas en los patíbulos y campos de batalla, hablad, desempeñad el cargo de fiscal que pesa sobre mí, y entonces el hombre sensato, el de bien que ha perdido su fortuna, el huérfano, la viuda y, en fin, la culta Europa, me dispensarán el honor de creerme justo. Yo, por tanto, concluyo por la nación, a que el criminal Vicente Guerrero sea pasado por las armas, con arreglo a la ley que del 27 de septiembre de 1823 y el Tratado VIII, Título X, Artículos 26 y 27 de las ordenanzas del ejército.»

El subteniente Cossío, el defensor, simulando que no debía acusarse al general Vicente Guerrero de las faltas que se le imputaban, dijo: «... Una ley ha puesto el sello a esta cuestión difícil y arriesgada; por ello están entendidos todos los mexicanos que don Vicente Guerrero tiene imposibilidad moral para regir los destinos de la nación, es decir, carece de las facultades intelectuales y discursivas de un hombre. Es natural que haya experimentado miedo grave y terrible de oponerse a las decisiones de los jefes a él subordinados y que les rindiera servil sumisión.»

A pesar de tanta insidia, sólo estuvo justo al rebatir la acusación acerca de haber pensado enajenar Texas, precisamente porque el cargo, basado en la copia de una carta de un agente del gobierno, era una afirmación que se derrumbaba no sólo por falta de bases, sino porque «... de derecho, no se debía haber hecho mención de semejante especie, ni aun para preguntarle jurídicamente al reo».

Quizá para limpiar en algo las sospechas de su parcial proceder, al final aquilató los grandes merecimientos del juzgado, cuando se refirió a «sus servicios, sus padecimientos y todos sus sacrificios por la causa de la patria». Pero volvía a denigrarlo al decir que «... su arrepentimiento, su desengaño y el convencimiento en que se halla, lo reducen a un estado de nulidad y si la patria no podrá recibir más servicios de este hijo suyo, es muy seguro que tampoco sufrirá ya más males». Concluyó pidiendo de mala gana se le conmutara la pena de muerte por una inferior, agregando que «la premura del tiempo y la gravedad de la causa, no menos que la falta de convencimiento, le impedían haber cumplido como quisiera con su comisión de defensor».

No había duda de que, además de que el defensor no estaba convencido de la inocencia de su defendido, había prisa por asesinarlo y a eso se debía la premura. Los diez vocales del Consejo de Guerra y su presidente, en un acto que los denigró como hombres y como oficiales de un ejército nacido al amparo de la incansable lucha encabezada por el hombre a quien condenaban, votaron unánimemente que el acusado fuera pasado por las armas, como reo de alta traición, dictando la siguiente sentencia:

«Vistas las declaraciones que preceden con el oficio librado por don Miguel González, como comandante del punto de

Huatulco, en orden a que el capitán don José María Llanes formase al faccioso Vicente Guerrero la correspondiente sumaria en averiguación de los diversos crímenes por éste cometidos y en especial el grave, gravísimo de lesa nación. Visto igualmente lo alegado por el reo y expuesto por el jefe fiscal, de lo que se hizo relación al Consejo de Guerra, aunque sin asistencia y presencia del reo por haber renunciado a este beneficio y pedido al Consejo se le excusara de hacerlo por no tener que alegar cosa que fuese en su defensa; todo bien documentado con la conclusión del expresado señor jefe fiscal, y alegado por el defensor, el Consejo ha condenado y condena al referido Vicente Guerrero a la pena de ser pasado por las armas, conforme a lo prevenido en la ley del 27 de septiembre de 1823 y los artículos 26, 27, 42, 43 y 66 del Tratado VIII, Título X de la ordenanza general del ejército, y a la Ley I, Título VII, Libro XII de la novísima recopilación. Oaxaca. Febrero 10 de 1831.»

Inmediatamente el fiscal Condelle entregó al comandante general el proceso, mismo que fue turnado a Villasante para que rindiera su dictamen. Acto seguido, Ramírez y Sesma confirmó y firmó la sentencia, mandando se ejecutase conforme a la ley y que se le dieran al reo los auxilios espirituales correspondientes.

## Capítulo XI

### — El asesinato —

EL mismo 11 de febrero, día en que se corrieron los trámites con los que tratarían de dar legalidad al asesinato de Vicente Guerrero, pasó el fiscal al convento de Santo Domingo. Para su sorpresa, halló al héroe tranquilo; su espíritu, libre de remordimientos, no acusaba el sobresalto propio de los inculpados. Más nervioso el propio Condelle por la parte de culpa que le correspondía, rogó al sereno prisionero se pusiera de hinojos para que escuchara la sentencia, a lo que Guerrero accedió, convencido de que no valía la pena la manifestación de ningún acto de rebeldía.

El hombre recibió la noticia de su propio sacrificio en tal estado de ecuanimidad, que dejó perplejos a sus indignos verdugos. En seguida se hizo llamar a un confesor para que lo prepara cristianamente. A las seis de la tarde fue puesto en capilla. Incomunicado y solitario en su oscura celda, impasible esperó Guerrero que se realizara no el injusto veredicto de los hombres, que él ya conocía, sino el de la historia que lo habría de juzgar libre de toda mancha. Convencidos de su grandeza de alma, varios religiosos del convento se turnaron para hacerle más llevadera la angustiosa espera.

En tanto, al saberse de la prisión del presidente, aunque se tenía la esperanza que el Gobierno no llegaría al extremo del fusilamiento, conociendo eso sí lo inhumano de los miembros del gabinete y el rencor que profesaban a Guerrero, se empezaron a recibir en las oficinas gubernamentales peticiones de clemencia, de sus múltiples amigos, admiradores y familiares.

Advertidas las torvas intenciones que se tenían con Vicente Guerrero, en sesión del 4 de febrero el diputado Blasco, queriendo anticiparse a lo que se temía, hizo la siguiente proposición: «... que las sentencias pronunciadas y que se pronunciaron en las causas sobre delitos políticos, cuyo conocimiento corresponde a los tribunales de la Federación, se suspendieran, no siendo absolutorias hasta la publicación de la amnistía que decrete el Congreso General, y entonces se aplicará a los delincuentes la gracia que la ley les conceda».

El autor de aquella iniciativa de ley, para ganar tiempo, solicitó la dispensa de la segunda lectura, pero se le negó. No obstante que existía dominio de Bustamante sobre la mayoría de los miembros del Congreso, en la sesión del día 7 el diputado Blasco, animado por algunos amigos del general Guerrero, insistió, pero la mayoría de la Cámara permaneció sorda a la voz de la humanidad y desechó la propuesta. El mismo día 7, el Congreso del estado de Zacatecas se dirigió al Congreso de la Unión con una iniciativa que contenía tres asuntos, encaminados todos a poner a salvo al prisionero:

1.—«No se aplicará la pena capital al general Guerrero, ni a los que en su causa se hallan comprometidos.»

2.—«La pena a que se sentencia a dichos individuos no podrá exceder de tres años de destierro fuera de la República, a un lugar que no sea perjudicial para su salud.»

3.—«Se asignará una pensión a los expatriados para su subsistencia.»

Tampoco esta voz fue escuchada.

En carta del 3 de febrero escrita desde Jalapa, don Pedro Landeros decía entre otras cosas a Bustamante, en lo relacionado a la situación del ilustre preso: «En este momento me manda avisar Ignacio Iberri la prisión de Guerrero; yo lo recomiendo a su generosidad.» El día 9, Bustamante, con la hipocresía que siempre le caracterizó, le contestaba:

«No pude usted figurarse, mi amigo, el contraste tan terrible que ha producido en mi alma la prisión de Guerrero, pues aunque era necesario para la pacificación de la República y de consecuencias muy favorables, trae consigo compromisos y produce sensaciones que no pueden ocultarse a la penetración de usted. Él pertenece hoy al Poder Judicial y por la independencia de poderes que constituye la esencia de nuestro sistema, el Ejecutivo no puede mezclarse en jurisdicciones ajenas, y yo, como ciudadano particular, muy poco o nada puedo hacer a favor de un hombre contra quien se ha pronunciado la opinión general y la vindicta pública de un modo tan claro y decisivo.»

Y continuaba: «Había acordado en junta de ministros una iniciativa pidiendo que viviese en país extranjero con una asignación que se consideraba bastante para una cómoda subsistencia, con prohibición de volver a pisar el territorio mexicano, pero habiendo observado que la opinión dentro y fuera de las Cámaras se manifestaba en contra de esta medida, se omitió el paso, y probablemente será juzgado con arreglo a las leyes. Quiera el cielo que ningún mexicano cometa los extravíos y se vea en el caso del hombre que, por antífrasis, fue llamado por los aduladores *Padre de los Pueblos*, pues en mi corazón pesa demasiado la desgracia, no sólo de cualquiera de nuestros compatriotas, sino de todo individuo que pertenezca a la raza humana.»

Temerosa de que se cometiera con su esposo la mayor de las infamias, doña Guadalupe de Guerrero escribió el 2 de febrero de

1831 a su compadre y amigo, el general Santa Ana, en demanda de ayuda en estos términos:

«La desgraciada suerte de mi esposo me hace tomar la pluma para dirigirme a usted, como a su mejor amigo, con objeto de reclamar su mediación con los señores que componen la actual administración y evitarle de este modo aquellas tropelías que tan comunes son a los agentes secundarios del poder. Me dirijo a usted, pues, mi estimado compadre, llena de confianza, porque conozco su generoso corazón, su celo por el decoro de una clase tan distinguida, y su ilustración, a la cual sin duda alguna no se le ocultará los miramientos y consideraciones que son debidos a un antiguo servidor de la independencia y libertad, que ha regido los destinos de una gran República y que aún conserva el título de presidente. Yo espero, por lo mismo, que, accediendo usted a esta solicitud, se apresure a manifestar con estos señores sus ideas, pues son muchas las voces que se hacen circular respecto a Vicente, y todas despedazan mi corazón, demasiado ulcerado ya para poder resistir este último golpe. Este paso no sólo va a servir de consuelo a una familia afligida, sino a consolidar esa reputación de usted, que tanto honor hace a usted como a la nación, que tiene un placer en numerarlo en el catálogo de sus más ilustres hijos. Dispense usted, mi estimado compadre, esta molestia que le causa en medio de su aflicción su muy afecta comadre y servidora. Guadalupe de Guerrero.»

Santa Ana, que conocía de lo que eran capaces los usurpadores, en cuanto recibió esta comunicación escribió a Bustamante sin lograr nada positivo, pues por la fecha de la misiva todo era inútil. Por otra parte, los demócratas y liberales que antes lo admiraban y reconocían como jefe, temerosos de las represalias, evitaron salir en su defensa.

Sólo don Juan Jiménez Bohórquez Varela emprendió un inútil viaje a la ciudad de México, para interceder por la vida del condenado, también sin éxito. Aun la voz de la opinión pública nada significó para los asesinos; la suerte del presidente Guerrero había sido decidida en junta de gabinete hacía ya tiempo. El general don José María Tornel refirió a don José María Lafragua la confesión que, en artículo de muerte y para descanso de su conciencia, le hizo uno de los ministros de aquel tristemente célebre gabinete: «El señor Alamán, pocos días antes de su muerte, me dijo: Señor Tornel: yo he sido víctima de la amistad y de una palabra empeñada de guardar secreto. La votación en el negocio del general Guerrero fue la siguiente: los señores Facio y Espinosa, por la muerte; el señor Mangino y yo, por el destierro a la América meridional; decidió el vicepresidente de la República.» Fue pues Bustamante el que decidió con su voto el sacrificio del prisionero.

En tanto, en la ciudad de Oaxaca, los sicarios proseguían el cumplimiento de su ingrata tarea. En la madrugada del día 13, obrando como delincuentes, a hurtadillas, sustrajeron al general Guerrero para conducirlo violentamente, en litera y con fuerte custodia para evitar cualquier intento de rescate.

Fue la sección volante comandada por el capitán Miguel González, su custodio desde Huatulco, la que lo condujo al pueblo de Cuilapan, distante cuatro leguas al occidente de la ciudad de Oaxaca. La hora dispuesta hizo que la salida pasara inadvertida para la población.

Junto con el general Guerrero fueron conducidos al suplicio otros reos; tal hecho se desprende de lo que en comunicación enviada la tarde del día 12 dice Pedro Maciel a don Manuel María Tinoco, vicario de Cuilapan, a quien en aquel escrito le solicita las llaves del convento de Santo Domingo, que también así se llamaba el de aquel pueblo, llaves indispensables para poder penetrar al corredor bajo, «donde deben entrar unos reos y algunos sacerdotes que los acompañan».

En vano trató de localizar Maciel a las autoridades civiles; éstas, para no hacerse cómplices del magnicidio, abandonaron con la anticipación necesaria el lugar. Entonces el aturdido Maciel se dirigió a la vicaría; el encargado le dio posesión del corredor bajo. Hasta entonces Pedro Maciel no había aparecido en el escenario de la tragedia; repentinamente se hace presente en ella cuando Ramírez y Sesma lo nombra comisionado especial para que violentara los preparativos de la ejecución. Él mismo fue el conductor de los rústicos ataúdes en que se habían de colocar, muertos ya, los despojos del general Guerrero y los de los otros prisioneros.

La caravana llegó a Cuilapan cerca de las dos de la madrugada; presurosamente el general Guerrero fue encapillado en un cuarto muy estrecho, de techo bajo, al que se llegaba por el corredor de la vicaría, con pésima ventilación que le proporcionaba un pequeño ventanillo que más parecía claraboya, protegido con fuerte reja de hierro. No queriendo tener ninguna participación en aquel monstruoso crimen, ni siquiera como testigo, aquella misma madrugada también el vicario abandonaba su puesto, dejando de encargado al interino, don Secundino Fariño.

Amaneció el día 14. Con la serenidad que le daba la tranquilidad de su conciencia, el general Guerrero aceptó recibir los postreros auxilios espirituales. En seguida, con la calma con que lo hacía cotidianamente, se sentó a desayunar. Momentos después, el redoble de los tambores templados a la sordina le anunció que el momento había llegado.

Se levantó de su asiento y, aunque nada dijo a los centinelas de vista, éstos comprendieron que el infortunado general se encontraba dispuesto. Envuelto en su amplia esclavina militar, aterido el cuerpo por el frío de la madrugada y de la inminente muerte, la mirada entristecida y, eso sí, con paso firme, avanzó hacia el extremo sur del atrio del convento, dirigiéndose a un lugar cercano a la puerta principal, lugar que le fue señalado para su ejecución.

Una vez frente al pelotón, el caudillo los arengó, así como a los soldados que componían la tropa, que eran del arma de caballería y que en impecable formación se extendía en escuadrones a su vista.

Les exhortó a que fueran siempre fieles defensores de la independencia, su viejo y amado sueño y la mayor herencia que legaba a los mexicanos. Al final otorgó bondadoso perdón a sus enemigos y a la vez lo pidió a «todos a los que hubiere ofendido».

En seguida fue vendado y obligado a ponerse de hinojos, actitud en la que recibió la descarga que le segó la vida. El cadáver, levantado con unción por sus propios enemigos, fue colocado en su sencillo ataúd y trasladado al presbiterio, en donde se celebró una misa de réquiem de cuerpo presente.

Con la decisión de hacer desaparecer el producto de su delito, inmediatamente fue inhumado junto a la bóveda del propio presbiterio, un metro fuera de las gradas que llevaban al altar mayor, aprovechando un viejo sepulcro desocupado. Verificada la ejecución, se levantó la constancia oficial donde se daba cuenta de que se había cumplido la sentencia.

La constancia reza así: «En el pueblo de Cuilapan, a los 14 días del presente mes de febrero de 1831, yo el infrascrito secretario, doy fe que, en virtud de la sentencia de ser pasado por las armas, dada por el consejo de oficiales a Vicente Guerrero, y aprobado por el señor comandante general de este estado de Oaxaca, se le condujo en buena custodia dicho día al costado del curato del expresado pueblo, y en donde se hallaba el comandante de la sección que cuidaba de la seguridad del reo, capitán don José Miguel González, y el juez fiscal que ha sido de esta causa, y estaban formadas las tropas para la ejecución de la sentencia, y habiéndose publicado el bando que previene la ordenanza, y leída la sentencia por mí al reo, puesto de rodillas, y en alta voz, se pasó por las armas a dicho Vicente Guerrero, y luego se lo llevaron a enterrar a la iglesia del curato del referido pueblo, procediendo antes de darle sepultura la misa que se le mandó decir a su alma; y para que conste por diligencia lo firmó dicho señor con el presente secretario. Condelle. Juan Ricoy.»

Se había asesinado así al presidente de la República, porque su elección como tal no había sido anulada; de haberse llevado a cabo ésta, automáticamente se anulaba la de Bustamante como vicepresidente.

Como quiera que haya sido, el crimen estaba consumado y la nación estaba de luto. Una ola de protestas, unas violentamente manifestadas, otras disminuidas por el terror a las represalias, obligaron a los culpables a manifestar hipócritamente su inocencia; todo lo que posteriormente hicieron, en lugar de lavarlos de toda culpa, más bien los comprometió.

Jamás pudieron dar una explicación satisfactoria de su proceder. Eso sí, los resentidos, los amargados, los eternos enemigos de la libertad, con objeto de congraciarse con el asesino Bustamante, como un adulador suyo de nombre Rafael Dávila, con motivo de la desaparición del héroe, y saturados de diatribas, los tituló: «Testamento del general Guerrero» y «Los hijos del cojo Luis y negro charamusquero hacen honores a Guerrero».

Hasta hoy, los enemigos de Vicente Guerrero no le perdonan su grandeza. Y si digna de condena fue y sigue siendo la vileza de los magnicidas, más grande fue la acción de los familiares del patricio después de sufrir el dolor de su desaparición. Cuando Bustamante y Alamán estaban caídos en desgracia y casi proscritos a causa de sus graves errores políticos, la señora doña Guadalupe Saldaña, viuda de Guerrero, y su hija doña Dolores, en un rasgo de incomparable nobleza, no solamente se negaron a pedir castigo para los asesinos, sino demandaron piedad para ellos y, lo que fue más, por carta les ofrecieron asilo en su hogar.

Es curioso conocer la manera como reunieron, los miembros del gabinete, el dinero para pagar al genovés Picaluga su traición. Ante el Gran Jurado nombrado por el Congreso General para investigar y juzgar la culpabilidad de los responsables intelectuales del asesinato del presidente Guerrero, el ministro Espinosa declaró que «cuando se vio realizada la palabra de Picaluga para la entrega del buque, el ministro de la Guerra pidió dinero para cumplir la palabra que él había empeñado y, estimándose este gasto como de seguridad nacional, dio el que habla 16 ó 17 mil pesos de la cantidad que le está asignada para invertirla en este objeto».

Parte de la declaración del ministro Alamán fue ésta: «A los 16 ó 17 mil de que habla el ministro de Justicia, se agregaron 34 mil 500, puestos por mí a disposición del señor ministro de la Guerra, quien habiendo exigido este dinero en oro, moneda que no hay en la Tesorería General, hizo el referido señor ministro de Hacienda se solicitaran las tres mil onzas que del proceso aparece se entregaron al general Durán en la misma secretaría de Hacienda para conducir a Oaxaca.»

El ministro Facio (el de Guerra) puso todo lo que estuvo de su parte, con la premura que le obligó su interés para que se acelerara la entrega de la recompensa, en virtud de que si no se hacía así, Picaluga amenazaba con que «largaría en la costa a todos los prisioneros». A pesar de tanta exigencia de parte del traidor y de los trámites administrativos de por sí de lento proceso, pero ahora violentados, al fin se convino en esperar la resolución del Gobierno.

Al arribo a la ciudad de Oaxaca de la sección volante del capitán González, conductor de los prisioneros del «Colombo», el genovés Picaluga formaba parte de la comitiva; no podía ser de otra manera, supuesto que aún no se le cubría la cantidad convenida por su felonía. Pasó inadvertido por su propia insignificancia y por desconocido.

Como la entrega del dinero debía hacerse en secreto, pero al mismo tiempo ante los suficientes testigos, todas personas de su absoluta confianza debido a que el genovés se negó sistemáticamente y desde un principio a extender recibo o comprobante alguno, se fijó para este acto la casa número 3 de la calle del Colegio de Niñas (hoy número 37 de la Avenida Independencia), casa habitación del gobernador del Centro, don Manuel María Fagoaga, quien con González fueron los únicos presentes, el primero representando al Gobierno del estado; el segundo al ministro Facio.

Después de darse por satisfecho, el traidor desapareció del lugar; al parecer se dirigió a la capital de la República, abandonando el bergantín «Colombo» en Huatulco.

El 10 de abril de 1834 y como consecuencia de las conclusiones a que llegó el Gran Jurado, éste decretó: «Se suprimen los empleos militares que obtienen don Anastasio Bustamante y don Félix Codallos; y ninguno de los que intervinieron directamente en la aprehensión y los asesinatos perpetrados en las personas de los esclarecidos patriotas Vicente Guerrero, Victoria, Rosains, Fernández y Márquez, podrán pertenecer al ejército de la República. Así mismo no podrán tener empleo de la Federación los asesinos que en las causas de que se habla consultaron la pena capital.»

Después de su asesinato, por algún tiempo los enemigos del general Guerrero siguieron usurpando el poder. Tuvieron que transcurrir tres largos años para que, por primera vez, los hombres del Gobierno se acordaran del héroe y tomaran el acuerdo oficial de rendirle homenaje, no así el pueblo que en Cuilapan se inclinaba reverente ante su tumba y en el resto del país guardaba luto en su corazón.

Fue el día 14 de febrero de 1834 cuando por primera vez se celebraron honras fúnebres en honor de don Vicente Guerrero. La ceremonia se verificó en la Plaza de Armas de la ciudad de México, sobre un tablado levantado ex profeso y adornado como convenía a la ceremonia que se llevó a cabo.

Ante el pueblo reunido, mudo de indignación y de dolor, con fuerte representación del ejército, empleados y funcionarios públicos, y presidiendo desde el balcón central del Palacio Nacional el presidente don Valentín Gómez Farías, tocó al señor Tornel, gobernador del Distrito Federal, pronunciar la oración fúnebre.

La reacción, representada entonces por ciertos sectores de la prensa y el clero, no solamente no se unió al homenaje sino que, por un lado, algunos diarios comentaron el acto haciendo grandes burlas y escándalo mientras que las autoridades eclesiásticas, como siempre tan contrarias a todo acto de reconocimiento a Guerrero, no disimularon su aversión al acto.

Tan descarada fue su actitud que los periódicos liberales se quejaron de aquella persistencia en el culto a la víctima, fundándose en pretextos sin valor, como unas cartas que el clero decía poseer procedentes de la ciudad de Oaxaca, en las que se afirmaba que los monjes dominicos habían dejado de oficiar aquel año las festividades de la Virgen del Rosario en su propia capilla, porque en ellas continuaban depositados los despojos del héroe del Sur.

La verdad es que siempre evitaron dar libre acceso al pueblo en aquel templo, temerosos de que se volcara en veneración al patriota. Sin embargo, tomaron como prueba de impiedad cristiana y desprecio de parte del gobierno a las creencias religiosas, el haber celebrado en la plaza y no en un templo, las honras fúnebres, sin que se hubiese dispuesto se cantase al menos —decían— un responso por el descanso de su alma.

En contraste con la fría actitud del clero, cuando se trató de recibir los restos de Iturbide, vertiéndose abundantes lágrimas por la suerte del veleidoso realista, con pomposas y patéticas descripciones de la conducción y ruta que siguieron sus cenizas, con solemnísimas honras fúnebres recibidas en Ciudad Victoria y San Luis Potosí, figurando dos comisiones en las que eran primeras figuras los vicarios generales de los respectivos arzobispados, hasta su llegada a la capital de la República, donde se volcó la clerecía y los antiguos realistas.

Considerándose un hecho indigno que los restos de Vicente Guerrero, el glorioso general insurgente, sacrificado más que por razones de tipo político, por odio personal, permanecieran en lugar tan apartado, con fecha 24 de octubre de 1842, once años después de su sacrificio, la Secretaría de Guerra y Marina giró instrucciones al comandante general de Oaxaca en el sentido de que fueran trasladados los restos del señor general don Vicente Guerrero, ordenándose para el efecto que «... sean remitidos a esta capital, bajo la custodia de un oficial de confianza, erogándose los gastos por cuenta de la Hacienda Pública y encerrándose aquéllos en una caja, para que no se produzcan extravíos y cuya llave se remitirá a esta Secretaría, según ha dispuesto el Excmo. señor presidente».

Apegándose a las instrucciones recibidas, el coronel José María Silva, comandante del batallón responsable de la conducción de tan estimadas reliquias, salió de la ciudad de Oaxaca en luctuosa y patriótica caravana. Así, el día 29 de noviembre, al tener conocimiento de la cercanía del cortejo, el comandante general de Puebla avisaba a la Secretaría de Guerra que los restos habían llegado a aquella plaza, que se les había rendido los honores que mereció en vida su alta investidura y que al día siguiente seguirían su destino hacia la capital.

Con la misma fecha y con objeto de disponer lo conducente, el mismo ministro ordenó al jefe del Cuerpo Militar que escoltaba los restos, que se detuviera en el Peñón Viejo, hasta que se le previniera y que avisara con un dragón de su llegada a aquel punto; al mismo tiempo se le giraban órdenes al rector del colegio de San Gregorio, para que recibiera los despojos y los depositara en la capilla de San Pedro y San Pablo, hasta que el Supremo Gobierno resolviera en definitiva su destino final, siendo la mira inmediata depositarlos junto a los despojos de los principales héroes de la independencia. Este propósito se cumplió el día 2 de diciembre de 1842, según consta en un artículo publicado por el periódico *El Cosmopolita,* en su número 193 del día 3, que dice:

«La familia de este desgraciado mexicano ha dispuesto colocar sus restos en el cementerio de Santa Paula, y como ellos estaban en Oaxaca, a disposición del Supremo Gobierno, tuvo precisión de pedir licencia para lograr sus deseos. El Excmo. Sr. presidente don Antonio López de Santa Ana, y su ministro el Excmo. general don José María Tornel, se prestaron muy gustosos a la solicitud, y recordaron que el Supremo Gobierno se halla con el deber de tributar a los restos del general Guerrero los honores fúnebres que le han sido declarados.»

En seguida, el mismo periódico daba detalles sobre el asunto: «El señor León se condujo con suma eficacia; colocó los huesos en una caja de plomo; ésta, dentro de otra de hoja de lata bien soldada por todas partes; esta segunda fue encerrada en otra de caoba muy bien labrada, cerrada con dos llaves y cubierta de jerga; todo se colocó en un cajón de madera común y con doble arpilladura se entregó al comandante de escuadrón don José María Silva, quien con una escolta salió de Oaxaca el 20 del pasado...».

Y agregaba: «... No sabemos hasta dónde se extenderán aún la saña y encono de los enemigos del señor Guerrero, pero sí sabemos que su recomendable familia, usando de su habitual moderación, nada dijo a los numerosos amigos del difunto cuándo llegaban los restos. Estamos seguros de que si se hubiera dado publicidad al hecho, el concurso de la garita hubiera sido inmenso». Es decir, el Gobierno a propósito no dio publicidad al acto, para evitar que el pueblo rindiera el homenaje que su corazón le dictaba.

En la parte alta y sobre la tronera de la celda donde el infortunado presidente Guerrero pasó los últimos momentos de su vida, precisamente frente al monumento que al occidente del convento de Santo Domingo en Cuilapan, los gobiernos de los estados de Guerrero y Oaxaca hicieron levantar en honor de tan esclarecido patriota, fue colocada una placa de mármol en donde se da testimonio de un hecho histórico que aún en nuestros días sigue conmoviendo a los mexicanos.

La placa dice: «En esta celda estuvo en capilla el Gran Mártir Insurgente, General Vicente Guerrero, del 12 al 14 de febrero de 1821. Homenaje del Ayuntamiento de Oaxaca. 2-14-1931».

El territorio situado al sur de la República conocido actualmente como estado de Guerrero, antes de serlo, tuvo diversas denominaciones y límites. En el año de 1532, los conquistadores españoles establecieron las alcaldías mayores de Tlapa, Taxco, Iguala, Chilapa, Acapulco y Zacatula. Por real ordenanza del 4 de diciembre de 1786, algunas de aquellas alcaldías fueron transformadas en Partidos, los que pasaron a depender: Tlapa, de la Intendencia de Puebla; Chilapa, Taxco, Iguala y Acapulco, a la de México y a la de Valladolid, hoy Morelia; el resto del territorio, como las regiones de Zacatula, Zirándaro, Pungarabato y Cutzamala.

De don José María Morelos y Pavón surgió la idea de constituir una entidad política, como medida de organización del territorio arrebatado a los españoles y como trofeo a sus hazañas militares. Recibió el nombre de provincia de Tecpan y comprendía toda la Costa Grande y la parte occidental de la Sierra Madre del Sur, hasta Tixtla y Chilapa, señalándose como cabecera la «ciudad de nuestra señora de Guadalupe de Tecpan».

Por decreto constitucional expedido por el Congreso de Chilpancingo y sancionado en Apatzingán el 22 de octubre de 1814, se creaban diecisiete provincias, las que formarían la América Mexicana, siendo una de ellas la de Tecpan.

Al consumarse la independencia, don Vicente Guerrero fue ascendido a mariscal de campo y nombrado comandante general de la Provincia del Sur, que comprendía las regiones de Tlapa, Chilapa, Tixtla, Ajuchitlán, Ometepec, Tecpan, Jamiltepec y Teposcolula.

A la muerte de Guerrero, y dado el cariño que se le tenía en el Sur, don Juan Álvarez, con una constancia y un entusiasmo dignos de admirarse, encabezó ante el gobierno de la República las gestiones para que, en homenaje a Guerrero, se erigiera un estado que llevara su nombre, donde estuviera comprendido su lugar de origen y la vasta zona donde había operado como jefe militar durante la guerra de independencia.

Encaminado el asunto por las vías legales, el día 14 de mayo de 1847, la comisión de diputados nombrada por el Congreso General para que se encargara de estudiar el proyecto, lo entregó aprobado según el siguiente texto:

«Se erige un nuevo estado con el nombre de Guerrero, compuesto de los distritos de Acapulco, Chilapa, Taxco y Tlapa y la municipalidad de Coyuca, pertenecientes los tres primeros al estado de México, el cuarto a Puebla y la quinta a Michoacán, siempre que las legislaturas de estos tres estados den su consentimiento dentro de tres meses.»

Por razones de índole política y administrativa, fue hasta el 27 de octubre de 1948 cuando el Congreso General declaró la erección de la nueva entidad, dándose con esa misma fecha la publicidad al decreto por don José Joaquín de Herrera, presidente de los Estados Unidos Mexicanos.

# Capítulo XII

## — El papel de Estados Unidos —

Uno de los procesos menos estudiados de la guerra de independencia de México es el papel que desempeñó Estados Unidos en apoyo de los insurgentes mexicanos, no tanto para respaldar sus esfuerzos separatistas, sino más bien para eliminar en forma definitiva la vieja influencia de España y la creciente intromisión de Inglaterra en el movimiento.

Para entender el papel de Estados Unidos es necesario contextualizar la situación imperante en la Nueva España, en un momento en que la derrota de Napoleón permitió el regreso como rey de España de Fernando VII, el hijo de Carlos IV, cuya primera preocupación fue deshacer la obra de las Cortes de Cádiz, que redactaron la progresiva Constitución de 1812.

Ante la reacción absolutista, renació en México el sentimiento independentista. Agustín de Iturbide y Vicente Guerrero formularon el *Plan de Iguala* (24 de febrero de 1821), al que pronto se adhirieron los más destacados insurgentes mexicanos y no pocos realistas. En dicho documento se proclamaba la independencia nacional en México bajo un régimen de monarquía constitucional y la igualdad de los ciudadanos. Se adoptaron los colores verde, blanco y rojo para la bandera del nuevo Estado. El *Plan de Iguala* pronto fue reconocido como la síntesis de las aspiraciones generales de los mexicanos.

Sin embargo, en el periodo que tratamos, Estados Unidos no era un país establecido y poderoso como en nuestros días, aun cuando la diferencia con México fuera notable. Que uno de los grandes problemas mexicanos fue la cercanía con esa nación durante el siglo XIX no es dudarse, y tampoco lo es que en cuanto se establecieron las relaciones con ella hubo que enfrentar problemas que, de hecho, nada tuvieron que ver con México, sino que se debían a conflictos entre Inglaterra y Estados Unidos, conflictos que continuaron disputando la hegemonía y que fueron proyectados a México, que sirvió de campo de batalla para su desarrollo y en que la victoria estaba del lado inglés.

Gran Bretaña, con revolución industrial y comercio, dinero y préstamos, pudo atraer la simpatía y la buena voluntad de los conservadores mexicanos en el poder, y organizarse estableciendo la logia escocesa como instrumento político que dio mucho que hacer en el futuro.

Por otra parte, Estados Unidos, sin los mismos elementos y consciente de su inferioridad, tuvo que compensar la ventaja inglesa mediante una gran intriga política que lo dirigió a la intervención en la dirección interna política del país, con objeto de formar un partido «americano» yorkino cuando se desenmascaró, para iniciar la preferencia mexicana hacia Estados Unidos, sustrayéndola de la de los ingleses.

Esa misión, aparte de los deberes rutinarios diplomáticos, entre ellos los muy importantes de la firma de un tratado de comercio y otro de fronteras, fue la desarrollada por el primer ministro de Estados Unidos en México, Joel Robert Poinsett, desde su llegada al país en 1825.

Fue una ardua tarea la que emprendió Poinsett para poder lograr sus fines, que no parecieron posibles en un principio por la ventaja y el enraizamiento tanto de los conservadores mexicanos como de los ingleses en el país. También resultó ardua porque, a la larga, y a pesar de su sagacidad, le valdría acusaciones y críticas, difíciles de soslayar, que terminaron por quitarle el puesto. Sin embargo, su organización del partido de la oposición, mediante el establecimiento de las logias yorkinas, en las que detentaba el grado 33, fue responsable del vaivén político mexicano que duraría todo el siglo XIX.

La descripción de su quehacer en México y las consideraciones crudas que Poinsett hizo de la sociedad, la política y la economía mexicana, guste o no guste, tuvo un impacto definitivo en la historia de México, pues la situación de Estados Unidos se rigió por ella y determinó la política a seguirse.

Después de un trabajo intenso, durante los años 1825 y 1826, Poinsett consideró imposible que México llegara a formar parte de la «familia americana» que amparaba al grupo liberal, anticolonial, indigenista, partidario de segregar el clero del Estado y, sobre todo, federal y democrático, de acuerdo con el modelo establecido institucionalmente en Estados Unidos.

En octubre de 1826 ese partido americano, cuya formación se le atribuía a Poinsett, ganó las elecciones y el hecho le llenaba de satisfacción por significar la primicia de su labor en México, que fue parecida a la desempeñada en Estados Unidos a favor de las logias yorkinas. La victoria no era de concebirse como el resultado de su talento, sino que era consecuencia de conocer el país, de gastar una fortuna personal y de usar todo su tiempo libre en levantar el famoso «gran partido americano».

Su optimismo aumentó cuando observó que salieron Gómez Pedraza y Esteva del poder, para ser sustituidos por Rincón y Tomás Salgado, en los ministerios de Guerra y del Tesoro, y que los problemas todavía en pie con el ministro de Gracia y Justicia podían causar la caída de Guadalupe Victoria, el primer presidente de México, si insistía en defender al funcionario. Por otra parte, el Congreso se ocupaba de las conspiraciones de frailes españoles. Poinsett se regocijaba por ser el momento en que sus amigos llegaran al poder y su trabajo de zapa daba al fin buen rendimiento.

Pero no sabía y menos entendía el alcance de los levantamientos civiles y militares de protesta en Durango y Puebla, durante 1827; la situación difícil de los meses de marzo y abril, complicada por la situación económica, el fracaso en el rendimiento de las minas y los decretos anticonstitucionales lanzados por la legislatura de Veracruz en contra del gobierno del centro.

De hecho, se fraguaba un movimiento centralista en Veracruz, que después se extendió por otros estados, y que acusaba con vigor la actuación política poinsettiana pidiendo su expulsión.

En su comentario al Departamento de Estado, Poinsett dijo que Veracruz sospechaba de un ministro «sagaz e hipócrita, celoso de la prosperidad de su nación en la misma magnitud que era enemigo de la de México». Pero el manifiesto lanzado iba más allá al acusar a la República de ser un régimen «terrible» apoyado en los yorkinos, cuyos efectos eran «malvados».

La defensa que Poinsett hizo de sí mismo delató sus actividades anteriores, al admitir que los escoceses reinaban desde antes de su llegada a México y que sus gobernantes eran antifederales, defensores del clero y que, por estar revueltos con los aristócratas monárquicos, querían imponer un Borbón en México. Por ello, el *Plan de Iguala* fue resultado del apoyo de los centralistas que respaldaban a los españoles europeos y todos eran miembros de la logia escocesa pro-británicos.

No se tomaba en cuenta que la mayoría de la nación fuera republicana y federalista pero incapaz de organizarse en oposición, como lograban hacerlo los escoceses pro-británicos. Por esa causa, Poinsett se vio obligado a buscar la alianza de los enemigos de los escoceses, pues de lo contrario hubiera tenido que abandonar, desde un principio, su puesto en México. La peor acusación que le hicieron los veracruzanos y los conservadores era haber fundado el partido de los yorkinos, que trajeron una política «dañina» para el país.

Así mismo, Poinsett reconoció con franqueza que la logia yorkina se había convertido en un instrumento de política para la intriga y que por ello se había retirado de sus reuniones. Su verdadera intervención consistió en fundarla, por el alto rango que en ella detentaba, y porque se extenderían las instituciones liberales, además de que quienes le pidieron intervenir en el asunto fueron todos gente del gobierno interesada en la paz, buenos patriotas y puros en sus motivos: Vicente Guerrero, José I. Esteva, Miguel Ramos Arizpe, Lorenzo de Zavala y José María Alpuche.

Con la ayuda que les dio Poinsett, todos ellos aprendieron rápidamente la lección y promovieron los principios liberales. Sin embargo, Poinsett se resentía de que, con egoísmo, se adjudicaban el mérito y el éxito de su lucha en contra del centralismo. Su espíritu magnánimo era partidario de perdonar, pues la ciencia política moderna no había llegado a México, y no se pudieron deslindar las diferentes ramas del gobierno. Incluso le acusaron de ir en busca de sus propios intereses. Pero el Gobierno mexicano algo reconoció en Poinsett cuando lamentó las acusaciones que le lanzaron desde Veracruz.

Esos ataques resultaron de suma molestia al diplomático por el significado que podían tener, pero interpretó las explicaciones y los lamentos del gobierno en el sentido de que, por fin, los mexicanos abrían los ojos y se daban cuenta del significado y de la fuerza de la oposición conservadora.

Fue la situación cada vez más difícil en Veracruz lo que llevó a Vicente Guerrero a hacerse cargo del Estado y, a pesar de que el presidente Victoria le rogara tomar la empresa y de que se excusara por razones de salud, terminó por salir hacia Veracruz el día 7 de agosto de 1827. Se hicieron buenos augurios en el sentido de que la futura actuación de Guerrero terminaría sin sangre, pues utilizaría su mejor tacto para pacificar la entidad.

Al parecer, en septiembre de 1827 Guerrero dominaba la situación en Veracruz, pero surgieron problemas y discusiones por la expulsión de los españoles. Poinsett se acercó a Guerrero para informarse de sus planes. Éste le dijo que no estaba dispuesto a hacer otra revolución de no haber un ataque de los enemigos de la nación y que siempre preferiría el camino del rigor de las leyes al de la espada. Sin embargo, le confesó que le resultaba difícil hacer entender a sus partidarios políticos sus puntos de vista sobre los verdaderos intereses de la nación, a pesar de la nutrida correspondencia que había mantenido con ellos.

Así mismo, Guerrero agradecía los sentimientos amistosos de Poinsett, así como sus votos a favor de que ocupara la presidencia que había declinado, pues, conociéndose bien, creía no estar capacitado para ello, pues sólo sabía mandar soldados.

Poinsett compartía la opinión generalizada en el país de que la expulsión de los españoles tuviera consecuencias en la economía mexicana. Consideraba peligrosa la situación de Guerrero porque no estaba bajo una influencia «saludable», pues no podía escuchar los murmullos de los viejos revolucionarios sin participar y actuar en forma alguna.

En cartas a sus amigos, que no dejaron de alarmarse, Guerrero expresaba que ayudaría a quien fuera para sacar a los españoles del país «por la fuerza». Los destinatarios acudían a Poinsett pidiendo que les ayudara y éste se dirigió a Guerrero en carta particular diciendo que era preferible no sacar a los españoles a golpes de país y esperar a recibir la presidencia.

Las reacciones de Guerrero no fueron, al parecer, secretas, pues el propio presidente Guadalupe Victoria agradeció a Poinsett su intervención ante Guerrero. El problema de los españoles, como es sabido, fue uno de los más difíciles de manejar para el gobierno y dio lugar al nacimiento de otra sociedad secreta, los Guadalupes. Parecida en su organización a la de los Carbonari italianos, que se extendió por la nación, tuvo mucha fuerza y apoyó a Guerrero. Con esa ayuda se esperaba ganar las elecciones federales, como efectivamente ocurrió.

Pero surgió la oposición, vino el levantamiento de Montaño y el de Tulancingo, que también pidieron la expulsión de Poinsett, y volvieron a enfrentarse escoceses y yorkinos.

Contra Montaño fue Guerrero, de nuevo mandado por el presidente Victoria, y el gobierno federal quedó fortalecido. Cuando Poinsett visitó a Victoria para comentar el levantamiento, el presidente agradeció la ayuda que había proporcionado durante su estadía para conciliar los intereses entre el pueblo y el Gobierno.

Cuando el 28 de julio se acercaban las elecciones, el país estaba intranquilo y el ministro norteamericano insistió en que, de no salir electo Guerrero, nunca llegaría la paz al país.

El antagonismo arreció en contra de Poinsett y el cuadro social que analizó para informar de lo acaecido a su gobierno resultaba verdaderamente vejatorio para México. Todas las rebeliones que había presenciado sólo tuvieron el propósito de invalidar las elecciones a favor de Guerrero. Por ello impusieron a Gómez Pedraza como ministro de la Guerra, por tratarse de un iturbidista, escocés y ventajoso. Sin embargo, se esperaba que el sustituto Lorenzo de Zavala lo arreglaría todo. Mucho dudó Vicente Guerrero para formar su gabinete, que al fin logró establecer con gente del partido democrático.

La intervención de Poinsett en la política mexicana tuvo varias etapas. Primero se ocupó de establecer y fortalecer la logia de los yorkinos como un instrumento nacional que sirviera de oposición política a los escoceses, simpatizante de Estados Unidos y contraria a la Gran Bretaña, aliada con las altas clases mexicanas.

Después, Poinsett puso en vigor su política, que culminaría precisamente con el logro de la elección de Vicente Guerrero a la presidencia de la República para implementar las instituciones federales y democráticas y, por último, se enfrentó directamente a los escoceses que, si bien no pudieron anular las elecciones a favor de Guerrero, pudieron levantar las críticas a tal grado, que la simpatía y ayuda a Guerrero se nulificó en el momento difícil de su destitución y el diplomático tuvo que salir del país sin dejar de mediar una nota de protesta en contra de Poinsett, escrita por el gobierno del propio Guerrero.

# Capítulo XIII

## — La acción de Lorenzo de Zavala —

LA mayoría de los historiadores mexicanos, al examinar la situación política del país en los comienzos de su independencia, han señalado con acierto que los actos de los hombres y la vida de los pueblos están siempre limitados por toda una realidad que debe comprenderse antes de intentar someterlos a juicio.

Al analizar la influencia y la acción de Lorenzo de Zavala en la época y en el gobierno del general Vicente Guerrero hay que tener en cuenta que, por ese entonces, México vivió la más tremenda lucha política que se dio entre los intereses de Inglaterra y los de Estados Unidos para sustituir a España en el dominio de sus ex colonias.

En esa lucha por la hegemonía marítima, territorial y comercial, México fue la víctima. Sus luchas políticas y sus pugnas partidistas de orden interno son inseparables del juego de intereses entre estas dos naciones. Los hombres, los grupos, los acontecimientos, de una u otra manera se hallan fatalmente ligados al mismo.

Es también por eso que las actividades de Zavala y del ministro plenipotenciario de Estados Unidos en 1825, Joel Robert Poinsett, han sido tan siniestramente interpretadas por numerosos autores o, en el mejor de los casos, desvirtuadas e incomprendidas. Ambos, vinculados por intereses semejantes a Guerrero, tuvieron, no cabe duda, influencia notable en la política de la época, pero no determinante y exclusiva como se pretende.

En el caso de Poinsett hasta podría decirse que su misión en México fue un total fracaso, pues ni resolvió los problemas limítrofes que lo trajeron al país, ni logró contrarrestar la influencia adquirida por los negociantes ingleses, que prevaleció en México hasta los tiempos de don Porfirio Díaz.

Los hombres, por sí mismos, no son tan importantes. Veamos por qué: se ha repetido hasta el cansancio la idea de que Poinsett organizó el partido federal inclinado a Estados Unidos y al sistema norteamericano y que Zavala, cabecilla de la revuelta que elevó a Guerrero a la presidencia, actuaba bajo su control.

Poinsett mismo, incurriendo en evidentes contradicciones y parcialidades, así lo afirma; para desmentir tales afirmaciones, basta recordar que cuando este señor llegó al país durante el gobierno de Guadalupe Victoria, ya el partido federalista o republicano había infligido sonadas derrotas a quienes soñaban con restaurar los lazos de la dependencia con España.

Recordemos, por ejemplo, el derrumbe del imperio de Iturbide, la promulgación de la Constitución de 1824, la misma elección del presidente Guadalupe Victoria, hechos que son triunfos innegables del partido federalista sobre los escoceses y los centralistas, empeñados en desviar a la nación del destino que le trazara la insurgencia.

Así, desde antes de la llegada de Poinsett, igual que en el resto de América, existía en México un sector decidido por la República y por la Federación e inclinado por razones históricas a Estados Unidos. Había ya un programa de transformación inspirado en la independencia, la libertad, el odio a la opresión, la tolerancia, la paz y la unión de los mexicanos que se había forjado en los duros años de la guerra acaudillada por Hidalgo, por Morelos y por Guerrero, y había ya ese grupo formado por los criollos y las clases medias de las ciudades y pueblos decidido a llevar adelante este programa.

Por eso, con Poinsett o sin él, no podía dejar de ser candente el periodo anterior a las elecciones de 1828 en que se renovarían las Cámaras y se elegiría al segundo presidente de la República. La lucha entre la aristocracia civil, militar y eclesiástica que formaba el partido escocés adicto a Pedraza, y los federalistas, aglutinados en lo que se llamó el partido popular o yorkino que sostenía a Guerrero, se hizo terrible.

Varios artículos de *El Aguila Americana,* el periódico de los federalistas, ilustran el ambiente en que se vivió por entonces: efervescencia general, partidos, familias e individuos afectados por la pugna ideológica, por las leyes dictadas, por las conspiraciones descubiertas. Odio encarnizado de unos y otros, aspirantismo desmedido y una venganza deseosa de satisfacción parecían buscar la oportunidad de desarrollarse; ésta la presentó precisamente la contienda electoral entre Gómez Pedraza y Vicente Guerrero, en que los vaticinios liberales parecieron cumplirse.

Los demócratas, decididos a llevar al triunfo a Guerrero, no se detuvieron ante las trabas supuestamente legales de que resultó victorioso Pedraza. El oro de los comerciantes ingleses y españoles, el de los terratenientes y acaudalados había comprado, no cabe duda, numerosos votos para el antiguo realista convertido luego en «republicano». El oro americano, muy posiblemente, apoyó entonces la adhesión de la «plebe citadina» a Guerrero y al partido popular.

Pero el de Guerrero no fue un triunfo mercenario, como tampoco fue mercenario Zavala, cuya participación en el movimiento de la Acordada fue decisivo para el triunfo del candidato del pueblo. Eran los federalistas, los artesanos, la clase media, la que habitaba los arrabales, la «baja democracia», en suma, quienes no estaban dispuestos a que se les escamoteara un triunfo que les otorgaba lo imperfecto del sistema político.

Para entonces, la República se había convertido en un gobierno militar, expresaba el gobernador Zavala. Sólo se ejecutaba la voluntad de Pedraza, que no era más que ministro de Guerra del presidente Guadalupe Victoria, pero que pronto debía entrar a la presidencia. Las cárceles estaban llenas de sospechosos; la imprenta estaba muda; el Congreso general declaraba fuera de la ley, sin tener tal facultad por la Constitución; el ministro de Guerra comunicaba órdenes a los gobernadores de los estados, que se ejecutaban sin resistencia; las tropas del gobierno ocupaban las poblaciones para hacer cumplir las órdenes. El tiempo de los virreyes parecía haber renacido.

Antonio López de Santa Ana, temiendo por su vida, se pronunció a favor de Guerrero el mes de septiembre. Otros generales federalistas le siguieron en octubre y noviembre, pero fue la persecución al gobernador Zavala lo que decidió todo a favor de Guerrero. Hay que ver la exposición detallada y notablemente objetiva que en su *Juicio Imparcial* hace Zavala de los hechos, derribando una a una las opiniones de Mr. Word, el ministro británico ligado al grupo de Pedraza y precisamente uno de los creadores del mito de Poinsett en la época de Guerrero.

Vicente Guerrero, ídolo del pueblo bajo y de los yorkinos, cabeza de la revolución popular, ratificado por el Congreso después de la renuncia y salida de Gómez Pedraza, llegó a la presidencia de la República el 1 de abril de 1829.

Su discurso ante la Cámara al tomar las riendas del poder y varios de los manifiestos que dirigió a la nación, muestran la clara idea que tenía de lo que era gobernar a un país como México y de lo que tenía que hacer. Por eso mismo, nombró a Zavala como su principal colaborador en la Secretaría de Hacienda.

Los primeros pasos de los enemigos del gobierno se encaminaron de inmediato a distanciar al presidente de Santa Ana y de Zavala. Eliminado el primero, toda la odiosidad, las intrigas, las calumnias y las imposturas tuvieron por blanco al ministro de Hacienda. Día con día se irían repitiendo hasta provocar las dudas del presidente y después su destrucción.

Era Zavala el terror de los contrarrevolucionarios. Su talento, su energía y su valor civil se habían mostrado insuficientemente en la revolución anterior y su historial de radicalismo hacía temblar y no sin razón a todos aquellos cuyo poder y privilegios aún se mantenían a despecho de los logros federalistas y de los sobrevivientes de la insurgencia.

Al asumir su cargo el 18 de abril, Zavala dio comienzo a la obra que matizó de rojo al gobierno de Guerrero y por la cual el presidente habría de ser asesinado. Sus proyectos fueron sólo el anuncio de lo que las Reformas de 1833 y de 1857 deparaban a las clases coloniales.

Lo importante, lo primordial, era fortalecer al nuevo Estado que había surgido, creando las bases de su desarrollo. Al frente de la Secretaría de Hacienda, hasta entonces en permanente bancarrota, pretendió Zavala no sólo aliviar la crisis económica y activar el fisco; quiso establecer la economía del país sobre bases hasta entonces sin precedentes.

El revolucionario impuesto sobre las rentas y la propiedad raíz, un nuevo sistema de contribuciones, la fijación de salarios gubernamentales, la abolición de los monopolios, durante el primer mes de su gestión, pusieron en estado de alarma a los enemigos del partido popular.

El conflicto se agudizó de nuevo el mes de septiembre al ocurrir los intentos invasores de los españoles en Veracruz. Para hacer frente al problema, Zavala ordenó, entre otras medidas revolucionarias, la ocupación de los bienes de los individuos residentes fuera del país, la confiscación de la mitad de las rentas de los españoles radicados en México, la transferencia al gobierno de las propiedades de la Iglesia expropiadas por los estados.

Ésta fue la gota que derramó el vaso: ¡Tocar las propiedades de la Iglesia, transferirlas al gobierno! ¡Atacar la propiedad de los ricos y del clero¡ El contraataque de los poderosos no se hizo esperar: a finales de octubre, las legislaturas de Puebla y Michoacán pedían la remoción del ministro. Atacado por la prensa, sin el apoyo del presidente, anulado por la legislatura del estado de México, Zavala salió del Ministerio de Hacienda en vísperas de que Guerrero fuera eliminado el 4 de noviembre por la sedición de Bustamante.

El partido escocés, compuesto por quienes eran partidarios de Pedraza, por quienes sentían repugnancia social por Guerrero, por quienes lo habían tachado de ignorante y de faccioso y luego lo tacharían de loco e incapaz, por quienes «se creían con el derecho exclusivo a mandar» tanto por su ilustración como por sus riquezas y negocios, emprendería la criminal carrera que habría de segar la vida del presidente Guerrero, genuino representante de la revolución cortada por Iturbide y luego por la administración emanada del *Plan de Jalapa*.

Este crimen, cometido contra uno de los héroes de la independencia, hizo que el malestar creciera y que aumentase el número de los enemigos de Bustamante. El alma de este movimiento era el doctor Valentín Gómez Farías, quien encabezaba un grupo de políticos progresistas que pretendían el derrocamiento de aquél, para poder realizar importantes reformas tanto en el aspecto militar como en el religioso.

La sublevación encabezada por el general Antonio López de Santa Ana se extendió por todo el país y Bustamante, impotente para dominarla, tuvo que renunciar.

En las elecciones siguientes, celebradas después de un breve mandato de Gómez Pedraza, resultó elegido el general Santa Ana y vicepresidente Gómez Farías; pero habiendo solicitado aquél una licencia, se separó del cargo, y la presidencia fue ocupada por Farías, quien entró en funciones el primero de abril de 1833.

Gómez Farías acometió inmediatamente las reformas que propugnaba. El gobierno asumió la vigilancia de la provisión de puestos eclesiásticos; se anularon las designaciones hechas por el cabildo de Yucatán y se impusieron sanciones a los clérigos y obispos desobedientes.

Aunque el clero se puso contra el Gobierno, apoyado por los elementos conservadores del país, se creó la Dirección de Instrucción Pública y se decretó que la enseñanza fuera libre y laica; se suprimieron los privilegios del clero y del ejército; los bienes de la Iglesia fueron incautados. También se separó la Iglesia del Estado, y éste se hizo cargo del manejo del Registro Civil y de legalizar los matrimonios, nacimientos, etc.

Tanto el ejército como el clero declararon la guerra a las leyes de reforma; aquél, porque se veía privado de sus fueros y privilegios que lo habían convertido, de hecho, en árbitro de la vida política de la nación, y éste, porque la nueva legislación le arrebataba cuantiosos ingresos y, sobre todo, le privaba de la enorme fuerza que suponía la enseñanza religiosa y las inmensas riquezas en poder de la Iglesia.

No pasaría mucho tiempo antes de que el general Santa Ana, que se había alejado de los liberales y retirado a su hacienda de Manga de Clavo, agrupara alrededor de su persona a todos los elementos disconformes, y cuando creyó poseer la fuerza suficiente se entregara a los grupos del nuevo movimiento de Religión y Fueros.

La sublevación contra Gómez Farias y sus partidarios estalló de pronto en todo el país. Santa Ana se hizo cargo de nuevo de la presidencia, para la que había sido elegido (24 de abril de 1834), y derogó todas las disposiciones y leyes de Reforma promulgadas durante el mandato de Gómez Farias.

Un nuevo Congreso reunido en 1835 aprobó lo hecho por Santa Ana, aunque esto no evitó que hubiera alzamientos en Querétaro, Puebla, Zacatecas y otros lugares del país a favor de los progresistas. De acuerdo con las instrucciones dadas por Santa Ana, se implantó el sistema centralista, los estados de la Federación se convirtieron en departamentos dependientes del gobierno central (1836) y Bustamante fue elegido presidente.

La larga y tortuosa historia mexicana seguiría adelante con estos retrocesos, pero también con otros avances que le darían el perfil por el que tanto luchó Vicente Guerrero a lo largo de su breve pero compleja y azarosa vida en la que pudo cimentar los inicios de la independencia política y económica del país, por los cuales el Congreso Nacional lo declararía finalmente Benemérito de la Patria.

# Capítulo XIV

## — Recapitulación crítica —

L A mayoría de los historiadores, tanto oficiales como independientes, coincide en que no fue un caudillo en lo individual, llámese Hidalgo, Morelos o Vicente Guerrero, sino todos los caudillos en su conjunto los que, durante el siglo XIX, encarnaron —para bien o para mal— las tensiones históricas de México. Orientados los unos hacia un futuro de bienestar material y libertad política o guardianes los otros de un pasado católico y tradicional, fueron tanto liberales como conservadores quienes asumieron su misión con distintos tonos.

En lo que todos están de acuerdo es en que México nació en 1821 a su vida independiente con unas expectativas inmensas sobre su legendaria riqueza, las mismas que habían albergado los criollos ilustrados de fines del sigo XVIII, como si la metáfora que hacía del territorio mexicano un «cuerno de la abundancia» hubiese sido, más que una metáfora, una descripción.

El cumplimiento de la profecía hecha por Humboldt en su Ensayo parecía inminente: «El vasto reino de Nueva España, bien cultivado, produciría por sí sólo todo lo que el comercio va a buscar en el resto del mundo.»

El año 1821 fue un año dorado en la historia mexicana. En septiembre se vivía el capítulo final de un movimiento de independencia inverso al que, once años antes, había encabezado Hidalgo: breve, incruento, ordenado y, ante todo, exitoso. En el lapso de seis meses ocurrió lo increíble: por la audaz iniciativa del jefe insurgente Vicente Guerrero y del jefe realista Agustín de Iturbide, los estratos criollos del país —sacerdotes, militares, empresarios y profesionales— se unieron con vastos sectores del pueblo campesino y urbano bajo el manto protector de un pacto concertado en la pequeña población sureña de Iguala, entre quienes habían sido, desde tiempos de Morelos, irreductibles enemigos: el propio Iturbide y el último caudillo de los insurgentes, un mestizo a quien Morelos conocía desde los remotos años de Carácuaro y que había llegado a ser su heredero: Vicente Guerrero.

Alguien llegaría a consignar, con el tiempo, que la conquista de México la hicieron en 1521 los indios —los tlaxcaltecas que secundaron a Cortés— y la independencia en 1821 los españoles —los peninsulares avecindados en México que, temerosos de la nueva aplicación de la Constitución liberal de Cádiz, buscaron el caudillaje salvador de Iturbide—. La paradoja tiene mucho de verdad, pero olvida dos elementos sin los cuales la consumación de la independencia es inexplicable: la porfía de los guerrilleros insurgentes y la biografía de Iturbide.

Nacido como Morelos en Valladolid (hoy Morelia), Iturbide era hijo de un rico hacendado español y una criolla nacida en Pátzcuaro. En 1798, a sus quince años de edad, administraba ya la hacienda de Quirio propiedad de su padre. A los veintidós años se alistó como teniente alférez en el regimiento de infantería provincial de Valladolid. Ese mismo año se casó con Ana Duarte, hija de don Isidro Duarte, el mayor potentado español de la región. Cuando estallaron los primeros conatos y conjuras independentistas en la ciudad de México y la propia ciudad de Valladolid hacia 1808 y 1809, la posición social del joven Iturbide era casi la inversa de la del cura criollo que encabezaría finalmente la insurgencia. Mientras Hidalgo enterraba a su hermano Manuel y recobraba tardíamente sus haciendas embargadas, Iturbide adquiría una hacienda propia —la de San José de Apeo— no lejos de la de Hidalgo. No es casual que la familia Iturbide apoyara al gobierno en aquellos episodios de frustrada autonomía criolla ni que Iturbide rechazara la oferta que le haría Hidalgo de sumarse a su causa con el grado de teniente general. El saqueo de la hacienda paterna y la huida de la familia a la casa que poseían en la capital fueron motivos suficientes para incorporarlo a las filas realistas.

A partir de su primer enfrentamiento con los insurgentes (justamente en el monte de las Cruces), la carrera militar de Iturbide fue meteórica: «Siempre fui feliz en la guerra», escribiría años después en sus *Memorias*. «La victoria fue compañera inseparable de las tropas que mandé. No perdí una acción, batí a cuantos enemigos se me presentaron o encontré, muchas veces con fuerzas inferiores de uno a diez.»

Petulancia aparte, no exageraba. Su hoja de servicios —y su meticuloso diario de guerra— consignaban capturas de feroces caudillos, tomas de difíciles fortificaciones y, ante todo, derrotas a los jefes insurgentes más connotados: Liceaga, Rayón y el mismísimo Morelos en Valladolid.

Lo que sus memorias omitían era un rasgo característico que sus contemporáneos, sin distinción de bandos, describieron con una misma palabra: la crueldad. «Se distinguió por espacio de nueve años por sus acciones brillantes, y por su crueldad contra sus conciudadanos», apuntó Zavala. «Una estela de sangre fue señalando todos los pasos de su derrotero», escribiría Alamán, que si bien no quería a Iturbide debido a ciertos pleitos mercantiles que involucraron a ambos, quería menos a los rebeldes: «Severo en demasía con los insurgentes, deslucía sus triunfos con mil actos de crueldad y por el ansia de enriquecerse por todo género de medios.»

En su *Historia de México*, el propio Alamán documentaría con creces los excesos de Iturbide. Fusilaba con liberalidad y a menudo sin extremaunción a sus enemigos y a la población civil inocente, pero no era más piadoso con sus propios soldados si advertía en ellos la mínima señal de cobardía. En sus propias palabras, Iturbide gustaba de «colear» insurgentes más que de «colear ganado», pero quizá su acto más cruel fueron los bandos que decretó a finales de 1814. A ellos precisamente hacían referencia ciertas mujeres encarceladas, «sepultadas» por órdenes suyas, que años después pedían «se nos despache al Purgatorio, que juzgamos habitación menos asfixiante que en la que estamos».

¿Cuál era el origen de tales extremos de crueldad? Según afirmaría Iturbide en sus memorias, «Hidalgo y los que lo sucedieron desolaron el país, destruyeron las fortunas, radicaron el odio contra europeos, sacrificaron a millares de víctimas, obstruyeron las fuentes de las riquezas, desorganizaron el ejército, aniquilaron la industria, hicieron de peor condición la suerte de los americanos ... Si tomé las armas en aquella época, no fue para hacer la guerra a los americanos, sino a los que infestaban el país».

Pero de nueva cuenta, como con Hidalgo, cabe preguntarse: ¿era preciso contestar el odio con el odio? ¿Era necesario, sobre todo frente a un adversario como Morelos? Tampoco en este caso la respuesta admite ambigüedad. Los extremos de crueldad no se justificaban. El odio entre Hidalgo e Iturbide, los dos hacendados de Michoacán, era inmenso quizá porque era un odio entre hermanos, entre hermanos en el criollismo: el mayor caudillo criollo de la insurgencia y el mayor caudillo criollo de los realistas. Para desgracia del país, la mala yerba de ese odio no murió en 1821: creció con el siglo XIX, cobijando otras causas y bajo otros nombres.

En Iturbide, la otra cara de la crueldad era su ambición, tan grande que el historiador Abad y Queipo sostenía: «No sería extraño que andando el tiempo él mismo fuese el que hubiese de efectuar la independencia». No se equivocaba. A principios de 1815, el día de la única batalla en que la suerte le fue adversa, «sentado», cuenta Alamán, «al abrigo de una peña con el general Filisola, Iturbide lamentaba tan inútil derramamiento de sangre, llamando la atención de Filisola a la facilidad con que la independencia se lograría, poniéndose de acuerdo con los insurgentes las tropas mexicanas que militaban bajo las banderas realistas; pero considerando el completo desorden de los primeros y el sistema atroz que se habían propuesto, concluyó diciendo que era menester acabar con ellos antes de pensar en poner en planta ningún plan regular».

Filisola, agrega Alamán, se manifestó conforme con las opiniones de Iturbide y éste le dijo: «Quizá llegará el día en que le recuerde a usted esta conversación y cuento con usted para lo que se ofrezca.» Con todo, a mediados de 1814 y conforme la insurgencia cedía terreno, la ambición de Iturbide tenía otras miras: gloria, reconocimientos, la Cruz de la Orden de San Fernando y otros galardones que creía merecer y que conseguiría, de ser preciso, viajando a España.

La fortuna tenía otros planes. A partir de 1816 Iturbide se vio envuelto en un ruidoso escándalo público concerniente a su desempeño moral durante los años de guerra. «Pigmalión de América» le llamaba un doctor Labarrieta —su detractor más enconado—, detallando la serie de latrocinios, saqueos, incendios y tráficos de comercio ilícito que había practicado Iturbide.

La defensa que el antiguo comandante de las fuerzas realistas y virrey Félix María Calleja hizo de él no bastaría para limpiar su nombre. Tampoco la intercesión de un abogado que Iturbide contrató ante la corona. Aunque, según Alamán, «fue absuelto, no quiso regresar al mando». No quería una exoneración vaga sino plena, y algo más: la Cruz de Isabel la Católica que por esos días, y con méritos similares a los suyos, había recibido Calleja. Esperó en vano. En 1818 rentó una hacienda cercana a la ciudad de México que no debió administrar bien a juzgar por los préstamos en que comenzó a incurrir.

«En la flor de la edad», narra Alamán, «de aventajada presencia, modales cultos y agradables, hablar grato e insinuante, bien recibido en la sociedad, se entregó sin templanza a las disipaciones de la capital... En tales pasatiempos menoscabó en gran manera el caudal que había formado con sus comercios en el Bajío, hallándose en muy triste estado de fortuna, cuando el restablecimiento de la Constitución y las consecuencias que produjo vinieron a abrir un nuevo campo a su ambición de gloria, honores y riqueza.»

Según el *Plan de Iguala,* el ejército unificado de ambos caudillos (el insurgente Guerrero y el realista Iturbide) se llamaría «trigarante» porque garantizaría tres principios fundamentales: la unión entre todos los grupos sociales, la exclusividad de la religión católica y la absoluta independencia respecto de España. Los lazos con la Península no se rompían; se desataban. No habría sombra siquiera de parricidio: la nueva nación adoptaba la monarquía constitucional como sistema de gobierno y para ejercerla le abría los brazos al propio Fernando VII —constreñido a partir de 1820 por el restablecimiento de la Constitución liberal de Cádiz.

En caso de que el monarca español no aceptara, los tratados de Córdoba (firmados el 24 de agosto de 1821 por Iturbide y el último virrey, Juan O'Donojú) mencionaban a otros sucesores de la casa de los Borbones para ocupar el codiciado trono. Si no aceptaban, sería emperador «el que las cortes del imperio designaren». Iturbide abría así las puertas de su propia designación. Las palabras iniciales del *Plan,* pronunciadas por Iturbide, dan una idea de la alegría casi mesiánica del momento:

«Americanos, bajo cuyo nombre comprendo no sólo a los nacidos en América, sino a los europeos, africanos y asiáticos que en ella residen, tened la bondad de oírme... Trescientos años hace, la América septentrional que está bajo la tutela de la nación más católica y piadosa, más heroica y magnánima. España la educó y engrandeció formando esas ciudades opulentas, esos pueblos hermosos, esas provincias y reinos dilatados que en la historia del universo van a ocupar lugar muy distinguido. Aumentadas las poblaciones y las luces, conocidos todos los ramos de la natural opulencia del suelo, su riqueza metálica, las ventajas de su situación topográfica, los daños que originan la distancia del centro de su unidad y que ya la rama es igual al tronco, la opinión pública y la general... es la independencia absoluta de España.»

El 27 de septiembre de 1821, día del 38 cumpleaños de Iturbide, los 16.000 hombres del «Ejército Trigarante», realistas e insurgentes unidos, entraron en la capital. Era la primera vez que el movimiento independentista se hacía presente en la «Ciudad de los Palacios» cuyos edificios de tezontle rojo y negro, según Humboldt, podían «figurar muy bien en las mejores calles de París, Berlín y Petersburgo». La primera vez y la definitiva. La bandera de aquel ejército que simbolizaba el contenido del *Plan de Iguala* fue tan popular que, con leves modificaciones, sería adoptada como bandera nacional: sobre el fondo blanco que representaba la pureza de la religión católica, al lado del verde que aludía a la independencia y del rojo encarnado que recordaba a España, se colocó el emblema de la mítica fundación de México-Tenochtitlán por los aztecas: un águila que, sobre un nopal, devora una serpiente.

«Aquel 27 de septiembre», escribiría Alamán, «ha sido... el único día de puro entusiasmo y de gozo, sin mezcla de recuerdos tristes o de anuncios de nuevas desgracias, que han disfrutado los mexicanos.» México nacía de una múltiple reconciliación, de un abrazo entre realistas e insurgentes, entre peninsulares, criollos, indios, castas y mestizos, entre el pasado prehispánico y los tres siglos coloniales, entre la rama y el tronco.

La opinión mayoritaria del momento lo percibió así y atribuyó a Iturbide el mérito principal no sólo en la consumación de la independencia sino en el proyecto equilibrado y pertinente que discurrió para la nueva nación. «Los tres puntos principales», escribiría Alamán, «estaban perfectamente acomodados a las circunstancias en que el país se hallaba». En cuanto a la elección de la monarquía representativa y constitucional como forma de gobierno y el consiguiente rechazo a la «manía de las innovaciones republicanas», el propio Iturbide había formulado sus razones a Gabino Gaínza, jefe militar y político de Guatemala, provincia que se adheriría al Imperio mexicano:

«Los pueblos no pueden querer que sus gobernantes... arrojen en su seno las simientes de la anarquía en los momentos de restituirlos a la posesión de su libertad... Es preciso que al destruir en su raíz (al poder absoluto) evitemos pasar al cuerpo político de la excesiva rigidez a la absoluta relajación de todas sus partes... Si aspiramos al establecimiento de una monarquía es porque la naturaleza y la política, de acuerdo en el particular, nos indican esta forma de gobierno en la extensión inmensa de nuestro territorio, en la desigualdad enorme de fortunas, en el atraso de las costumbres, en las varias clases de población, y en los vicios de depravación identificada con el carácter de nuestro siglo.»

En aquel momento de expansión y optimismo, la mera contemplación del mapa imperial mexicano movía a admiración: abarcaba desde el río Arkansas y la Alta California en el norte hasta Centroamérica en el sur, desde la inmensa costa del Pacífico hasta el golfo de México. Comprendía prácticamente toda la América Meridional. No es casual que Iturbide considerara la «unión íntima» futura del nuevo imperio con la isla de Cuba, acosada por los «ingleses de uno y otro continente» y en peligro de «ser desgarrada por luchas intestinas». Tampoco es casual que Iturbide viese con una mezcla de admiración y recelo a los Estados Unidos de Norteamérica: admiración por su régimen político interior y su creciente prosperidad, recelo frente a su sed territorial. En particular le preocupaba Texas «por el abandono con que el anterior gobierno miró ese punto tan interesante del imperio».

En espera de la confirmación española de los Tratados de Córdoba, Iturbide labraba su gloria y su posterior exaltación imperial. Lo que le ganó la idolatría nacional no fueron sus modales cultos, ni su hablar grato, sino los méritos de su maniobra (más política que militar), es decir, la triple promesa del *Plan de Iguala* y una antigua idea religiosa que «lisonjeaba» —como se decía entonces— la imaginación de los mexicanos: la idea de la providencia. En su vertiente natural, la providencia había creado «nuestras floridas y ricas tierras, la nación más opulenta, señora de las riquezas del mundo», pero faltaba el hombre providencial que sacara de su seno «los bienes imponderables de México». En 1821, la mayor parte de los mexicanos conscientes de su nueva nacionalidad creyeron encontrarlo en Iturbide. Iturbide mismo, por un tiempo, se creyó también ese hombre.

Meses más tarde, cuando aún no cesaba aquella borrachera de optimismo, ocurrió otro suceso providencial... en sentido inverso: la nación más «heroica y magnánima», España, se negó a regalar un heredero al Imperio de México. (Años más tarde, no dejaría de intentar, infructuosamente, la reconquista de su antigua colonia y sólo establecería relaciones diplomáticas con ella en 1836.)

Una pauta similar de rechazo siguió el Vaticano, que consideró cancelados, de paso, los tradicionales derechos del Patronato Regio que desde tiempos de la conquista había otorgado a la corona (en esencia, voto de calidad al poder civil en la designación de sacerdotes). De pronto, en medio de la euforia optimista, una sensación sicológica de orfandad empañó el bautizo histórico de la nueva nación. Ante el rechazo paterno, la solución universalmente aceptada fue crear la paternidad: ungir y elegir «por la Divina Providencia y por el Congreso de la nación, a Agustín, emperador constitucional de México».

El Congreso Nacional, que el propio Iturbide eligió para formular la nueva constitución y que había jurado lealtad al *Plan de Iguala* y los tratados de Córdoba, estaba dominado por españoles llamados «borbonistas», porfiados en que el torno se entregase a un descendiente de esa casa imperial. A pesar del rechazo de España, los borbonistas no cejaron en su intento y se aliaron con sus enemigos ideológicos, los «escoceses».

Desde un principio, ambos grupos reclamaron para el Congreso la representación popular y soberana de que carecía pero que Iturbide, presidente de una regencia provisional y colectiva, le concedió, sin advertir que al hacerlo creaba de inmediato una dualidad de poder similar a la de Morelos y el Congreso de Chilpancingo.

Con todo, la mayoría de este Congreso votó por la exaltación de Iturbide al trono imperial. Aunque no dejaron de influir en el ánimo de los legisladores la abierta presión de los militares y las amenazantes manifestaciones del «populacho» urbano a favor de su héroe, lo cierto es que en todas las provincias fue unánime el aplauso con que se recibió la elevación de Iturbide al trono. En palabras del representante de Zacatecas, Valentín Gómez Farias (que pasados los años sería un republicano radical), la corona fue una forma de «recompensar al libertador».

La coronación se efectuó el 21 de mayo de 1822. En la ceremonia ocurrieron extraños incidentes, como si los asistentes y el emperador se hubiesen sabido marionetas de una representación teatral. Sin expresarlo abiertamente, muchos sospechaban o temían que aquel imperio estaba designado desde un principio al fracaso.

Cuando el presidente del Congreso, un amigo de Iturbide, procedió a ponerle la corona en su cabeza, le dijo: «No se le vaya a caer a vuestra majestad», a lo que Iturbide respondió: «Yo haré que no se me caiga». Era extraño que el emperador ungiera por sí mismo a su mujer, era extraño que el Congreso lo hubiese ungido. Lo más significativo de todo, sin embargo, fueron las palabras de Itubide después de su juramento: en vez de festejar con firmeza su acceso al trono, como un rey decepcionado y viejo, lo lamentó con estas palabras: «La dignidad nacional no significa más que estar ligado con cadenas de oro, abrumado de obligaciones inmensas; eso que llaman brillo, engrandecimiento y majestad, son juguetes de la vanidad.»

Con imágenes, con metáforas, manifestaba un sombrío estado de ánimo. Es verdad que la misma aceptación de la corona probaba la ambición cumplida de Iturbide. Pero, con todo, algo ocurrió realmente en el fuero interno del emperador en aquellos días, como si sus dos móviles en la vida (el espíritu de gloria y engrandecimiento nacional y el amor de los mexicanos hacia su persona) hubieran debido configurarse de otra manera en relación con él, consumarse en una investidura diferente.

Simón Bolívar, en circunstancias de «lisonja» similares y con un prestigio y poder mucho mayores, había entendido el problema y por ello rehusaría siempre el destino de César o Napoleón («el título de libertad es superior a todos los que ha recibido el orgullo humano»).

Iturbide, menos versado que Bolívar en los clásicos latinos, mucho menos profundo, fue incapaz de decir no, de administrar su victoria, y tuvo que llegar a la cumbre para sentir el abismo.

«Vi la repugnancia del héroe de Iguala en admitir la corona», escribió por entonces el autor más leído de la época, José Joaquín Fernández de Lizardi, llamado «el Pensador Mexicano». Su percepción era correcta: «Hube de resignarme», confesaría Iturbide en sus *Memorias,* «a sufrir esta desgracia que para mí era la mayor». Quiso creer que su decisión había sido la única posible en aquellas circunstancias, pero la falsa conjetura no le consolaba: podía haber asumido una regencia única, intentando, como Bolívar, un papel de legislador, insistido con la casa borbónica, o como Cincinato, podía haberse retirado para volver con plena fuerza. Pero no era fácil advertir la debilidad propia en medio de la veneración universal. Sólo en la vana apoteosis de su coronación entrevió con horror que la corona, en efecto, se caía.

Afuera, en la calle, siguieron cuatro días de fuegos artificiales; la ruidosa designación de la «familia imperial» con su cauda de ujieres, mayordomos, infantes, damas, pajes; la fundación de la Orden Imperial de Guadalupe, especie de nobleza mexicana formada lo mismo por eclesiásticos que por insurgentes.

De la provincia y la capital llovían felicitaciones serviles que al emperador le repugnaban. Rechazó dineros, tierras, nombramientos de ducados para sus hijos y familiares. La «lisonja» no provenía sólo del pueblo anónimo, también recurrían a ella personas de trayectoria insospechable, como Vicente Guerrero, quien, al informarle del júbilo con que se había recibido en su cuartel de Tixtla la proclamación, agregaba esta declaración rendida: «nada faltó a nuestro regocijo sino la presencia de vuestra Majestad Imperial; resta echarme a sus imperiales plantas y el honor de besar su mano».

Pero ninguna muestra de adhesión, ningún ¡Viva Agustín Primero! borraba la sombra de debilidad íntima, casi de ilegitimidad, que le perseguía. Sin haber usurpado la corona, Iturbide vivía como un usurpador atormentado.

A la semana de la coronación, confiaba sus pensamientos al hombre que mejor podía entenderlos en toda América: «¡Cuán lejos estoy de considerar un bien lo que impone sobre mis hombros un peso que me abruma!», escribió a Bolívar. «Carezco de la fuerza necesaria para sostener el cetro; lo repugné y cedí al fin por evitar males a mi patria, próxima a sucumbir de nuevo, si no a la antigua esclavitud, si a los males de la anarquía», agregaba.

Al poco tiempo, el horror con que entreveía su destino empezó a traducirse en hechos. El problema fundamental —como en el caso de Morelos— fue su competencia de autoridad con el Congreso. Aquel padre colectivo que le había ungido emperador se sintió con derechos sobre el emperador e intentó ejercerlos desde el primer día: objetó su poder de veto, obstruyó el despacho eficaz de la economía, bloqueó la designación imperial de un Supremo Tribunal de Justicia, pospuso el debate sobre una nueva constitución, y en la secreta urdidumbre de las reuniones masónicas tramó conspiraciones y deposiciones.

De pronto, por una extraña inversión de papeles históricos, el emperador actuaba de modo republicano —dividiendo el poder, procurando compartirlo con el legislativo—, mientras que el Congreso adoptaba posturas imperiales, absolutistas.

Esta actitud del Congreso no pasó inadvertida para un agudo observador inglés que, por lo demás, no creía en la abnegación de Iturbide: «sobre el severo despotismo en el que han sido educados, injertan las teorías más audaces de la escuela francesa».

Precisamente contra las consecuencias prácticas de estas audaces teorías escribió un autor francés muy conocido en la época, Benjamín Constant: «cuando la autoridad legislativa lo abarca todo no puede hacer otra cosa que mal».

Uno de sus lectores mexicanos, Lorenzo de Zavala, propuso una reforma al Congreso, en particular a su dimensión y atribuciones. Años después, en su formidable *Ensayo crítico de las Revoluciones de México desde 1808 hasta 1830*, Zavala formularía con claridad el dilema de su tiempo: «Yo no sé qué era lo que convenía a una nación nueva, que no tenía hábitos republicanos, ni tampoco elementos monárquicos.» Sus dudas, sin embargo, no le impedirían colaborar con Iturbide en el manejo de las difíciles cuestiones económicas que al poco tiempo enfrentaría el Imperio ni aducir que el Congreso actuaba de modo ilegal: había pasado sobre el acta de fundación original del nuevo imperio, el *Plan de Iguala*, que preveía la integración de dos cámaras, y se arrogaba, además, una autoridad soberana que el plan y los Tratados de Córdoba no le daban.

Para entonces, Iturbide había ordenado ya el arresto de varios diputados (entre ellos Carlos María de Bustamante y fray Servando Teresa de Mier), aduciendo con firmeza que la nación estaba tan cansada de las disputas entre los poderes como de la apatía de los legisladores. Sus enemigos veían la prueba de tiranía en cada acto de Iturbide y, para su horror, le comparaban con Fernando VII. Por su parte, Iturbide tomó a finales de octubre la decisión de disolver al Congreso y designó de inmediato una Junta Nacional Instituyente.

En el fondo de los problemas del Imperio había algo más grave que las desavenencias políticas: la penuria del erario y la de todas las fuentes de riqueza nacional, severamente afectadas por los años de guerra.

Mientras la Junta Instituyente discurría inútiles proyectos de colonización y retrasaba la convocatoria a un congreso constituyente, Iturbide recurría a medidas de guerra económica que mermaron su crédito interno: préstamos forzosos, captura de fondos, exacciones fiscales. De pronto, la verdadera situación económica del «opulento imperio» pareció clara: con las minas azolvadas, las haciendas destruidas y la incipiente industria inmovilizada; con la inmensa fuga de capitales acumulada desde 1810 y calculada en cien millones de dólares o pesos (diez veces el presupuesto anual) y con un déficit de cuatro millones para 1822, la situación sólo tenía un nombre: bancarrota.

En el frente diplomático el cuadro no era menos amenazador: sin crédito externo, sin reconocimiento de los Estados Unidos e Inglaterra, rechazado con vehemencia por España, el Vaticano y los miembros de la Santa Alianza, y con la única esperanza de un vínculo con la gran Colombia de Bolívar, la circunstancia tenía un nombre: aislamiento.

En diciembre de 1822, Iturbide se entrevista con el enviado del gobierno norteamericano, Joel Robert Poinset, que dejaría esta estampa en sus *Notas sobre México:* «El emperador conversó con nosotros durante media hora... aprovechando la ocasión para elogiar a los Estados Unidos, así como a nuestras instituciones y para deplorar que no fuesen idóneas para las circunstancias de su país... De trato agradable y simpático, y gracias a una prodigalidad desmedida, ha atraído a los jefes, oficiales y soldados a su persona, y mientras disponga de los medios para pagarles y recompensarles, se sostendrá en el trono. Cuando le falten tales medios, lo arrojarán de él.»

Días antes, un joven e imperioso brigadier veracruzano cumplió la predicción de Poinset: se levantó en armas contra Iturbide y así, sin saberlo, inauguró una práctica que en el siglo XIX se volvería consuetudinaria. El sonoro nombre de ese «genio volcánico» al que Iturbide colmó infructuosamente de elogios, mandos y grados era Antonio López de Santa Ana. Muy pronto le secundaría un antiguo lugarteniente de Morelos: Guadalupe Victoria. Ambos proclamaban el *Plan de Casamata,* cuyo propósito expreso no era atentar contra la persona del emperador sino exigir la reinstalación del Congreso.

Por esa fecha, otras dos figuras de la insurgencia, Vicente Guerrero y Nicolás Bravo, se habían levantado en armas por su cuenta. Iturbide, que en los remotos tiempos de la insurgencia y los más recientes del *Plan de Iguala,* se caracterizó por su resolución militar, decidió no decidir: «Tengo fuerza y concepto para hacerme respetar y obedecer, pero costaría sangre y por mí no se verterá jamás ni una sola gota», dijo entonces.

Temía actuar no por miedo a sus enemigos ni por falta de recursos o porque albergara dudas sobre el apego general del ejército, sino por miedo a la anarquía y a que la opinión pública atribuyese cualquier medida a «intereses privados» y a un «deseo de mantener en su cabeza la corona que había aceptado sólo para servir a la nación». Mientras sus más cercanos amigos y colaboradores renunciaban, lo abandonaban o, como en el caso de los generales Echávarri y Negrete, defeccionaban para unirse al *Plan de Casamata,* Iturbide ofrecía toda suerte de dimisiones simbólicas: renunciar al derecho de sucesión hereditaria, ofrecerlo a otra familia, «porque nada quiero con respecto a mi persona ni he querido jamás cosa alguna que pueda ser contra la voluntad general». Lo único que en verdad quería es que le creyeran sus convicciones constitucionales. Daba su reino por dejar su reino.

La humillante y extemporánea restitución del Congreso depuesto a la que accede «sin culpas ni acusaciones», y con «espíritu de reconciliación», termina por cerrar el ciclo. El 19 de marzo abdica al trono. Tres días después, en su exposición de motivos al Congreso, Iturbide toca, sin convocer un ápice a los diputados, experiencias de soledad y desesperanza que eran comunes a los Enriques y Ricardos de la literatura shakespeariana:

«El que sube al trono no deja por eso de ser hombre, y el error es la herencia de la humanidad. No debe considerarse a los monarcas como infalibles, si bien son más excusables por sus faltas... porque, estando colocados en el centro de todos los movimientos, en el punto a que se dirigen todos los intereses... al que van a encontrarse todas las pasiones humanas, su atención está dividida entre una multitud de objetos, su espíritu fluctúa entre la verdad y la mentira. El candor y la hipocresía, la generosidad y el egoísmo, la lisonja y el patriotismo, usan todos el mismo lenguaje.»

El Congreso humilló a Iturbide al declarar «viciosa de origen» la elección que el propio Congreso había hecho. La abdicación no procedía porque el imperio era ilegal. Siguieron el exilio en Italia y el escarnio público. El hombre providencial se convirtió, providencialmente, en chivo expiatorio... injusto, traidor, caníbal, nuevo Calígula, tirano.

«Es un error político de mucha trascendencia», apuntó *El Sol*, periódico republicano de la época, «llamarle libertador de su patria y creer que algo le debemos». Simbólicamente, el 17 de septiembre de 1823, los restos de Hidalgo, Morelos y otros insurgentes fueron colocados en una urna especial en la catedral metropolitana de la ciudad de México sin reconocimiento a Iturbide.

En Liorna, adonde luego de una travesía y una espera de tres meses llegó en agosto de 1823, Iturbide escribe sus memorias. Hacia finales de año le alcanzan las noticias sobre una posible invasión a México de la Santa Alianza, en apoyo de España. Inglaterra amagaría militarmente contra la maniobra y James Monroe promulgaba en esos días su célebre doctrina, pero en el momento y circunstancia de Iturbide el peligro de reconquista es real.

Cada vez con menos recursos económicos de los cuales echar mano —en su administración personal había sido honrado— viaja a Inglaterra. Pasa un tiempo en Bath, adonde le llegan cartas mexicanas que imploran su regreso. El caudillo San Martín intenta disuadirle. Es inútil: convencido de los peligros de anarquía interna e invasión externa, llamado nuevamente por la ambición de gloria, como en 1820, como Napoleón en Santa Elena, Iturbide se embarca hacia México con parte de su familia. Va desarmado. Ignora que el Congreso lo ha proscrito y condenado a muerte si pisa tierras mexicanas.

A principios de julio llega al puerto de Soto la Marina, en el golfo de México, y es apresado por uno de sus antiguos lugartenientes, que vacila entre cumplir ahí mismo la orden o remitir el caso al Congreso local del estado de Tamaulipas, reunido en el pueblo de Padilla. Hasta allá llega Iturbide a preguntar qué crimen ha cometido para merecer ese castigo.

Ningún jurado lo escucha: el Congreso local actúa como poder judicial y militar. Antes de su fusilamiento, el 19 de julio de 1824, escribe a su mujer encinta:

«La legislatura va a cometer en mi persona el crimen más injustificado... Dentro de pocos momentos habré dejado de existir... busca una tierra no proscrita donde puedas educar a nuestros hijos en la religión que profesaron nuestros padres, que es la verdadera... (recibe) mi reloj y mi rosario, única herencia que constituye este sangriento recuento de tu infortunado Agustín.»

Frente al pelotón alzó la voz: «Muero con honor, no como traidor; no quedará a mis hijos y su posteridad esa mancha; no soy traidor, no... no digo esto lleno de vanidad porque estoy muy distante de tenerla.» Se había excusado de nuevo, frente a los soldados, frente a sí mismo; ¿de qué? No es aventurado conjeturarlo: de la sangre derramada en tiempos de la insurgencia.

Esa culpa pesó más en su derrota histórica que la oposición de todos sus enemigos. Ni siquiera frente al pelotón estuvo seguro de expiarla.

Años después, el libertador Simón Bolívar confiaba al general Santander sus reflexiones sobre el efímero imperio mexicano: «El tal Iturbide ha tenido una carrera algo meteórica, brillante y pronta como una brillante exhalación. Si la fortuna favorece la audacia, no sé por qué Iturbide no ha sido favorecido, puesto que en todo la audacia lo ha dirigido. Siempre pensé que tendría el fin de Murat. En fin, este hombre ha tenido un destino singular, su vida sirvió a la libertad de México y su muerte a su reposo. Confieso francamente que no me canso de admirar que un hombre tan común como Iturbide hiciese cosas tan extraordinarias. Bonaparte estaba llamado a hacer prodigios, Iturbide no, y por lo mismo los hizo mayores que Bonaparte. Dios nos libre de su suerte, así como nos ha librado de su carrera, a pesar de que no nos libremos jamás de la misma ingratitud.»

Sin embargo, en la conciencia de algunos personajes prominentes de esa época, el recuerdo de Iturbide no volvería en la forma de un sueño sino en la de una dolorosa pesadilla, una opresiva sensación en la que se mezclarían la solidaridad póstuma y la piedad.

El caso más dramático de esa identificación con Iturbide lo representó uno de los pocos lugartenientes criollos de Morelos, el general Manuel Mier y Terán. Todos los hombres de su tiempo lo admiraron: ingeniero militar, había sido un elemento clave en los aspectos de fundición, maestranza y artillería en los ejércitos insurgentes. En 1815, Mier y Terán había disuelto el Congreso y emprendido después hazañas legendarias (como la proyección y ejecución, en diez días, de un camino militar a través de un pantano). Tras vivir indultado y bajo vigilancia en Puebla, se había adherido a Iturbide, a quien le aconsejó asumir una regencia única, no el trono.

Ministro de Guerra y Marina por un breve tiempo durante la presidencia de Guadalupe Victoria, hacia 1827 Mier y Terán «llevaba una vida muy privada» cuando el enviado inglés Henry G. Ward lo conoció: «se ocupa de sus afanes científicos y de las matemáticas, en las que siempre ha sobresalido... Su división se distinguió siempre por su disciplina y se dice que poseía el arte de inspirar en sus seguidores el más cálido apego a su persona... Todavía es joven, y su talento, tarde o temprano, lo llevará a distinguirse».

En 1828, a sus treinta y nueve años, Mier y Terán encabezaría la comisión de límites que debería fijar en Texas la frontera definitiva entre México y los Estados Unidos. A aquel viaje, el primero de su género en el México independiente, Mier y Terán llevaría un equipo de científicos, geómetras y dibujantes para dar noticia «sobre la física y la historia natural de aquellos países remotos». Un año después, se distinguiría en el triunfo contra una invasión española de reconquista en el puerto de Tampico. Y en plena década de los años 30, con el prestigio intacto, aceptaría una encomienda de inmensa complejidad: la comandancia general de las Provincias Internas de Oriente, que comprendía el inestable territorio de Texas, siempre al borde de la secesión; «ese departamento se norteamericaniza», le escribiría a Lucas Alamán, en abril de 1831, y agregaba: «¿En que parará Texas?, en lo que Dios quiera.»

Un año más tarde, Mier y Terán sería el hombre a quien doce de los diecinueve estados de la República favoreceríanm para las elecciones presidenciales. Era el candidato ideal del progresista doctor Mora y mantenía una vieja amistad con el tradicionista Alamán.

Pero el espectro de Iturbide lo perseguía. Le pesaba la «norteamericanización» de Texas, que no había podido detener, y la pérdida de ese departamento que, con razón, veía inminente. Le pesaba la perspectiva de gobernar un país de eternas revoluciones.

En esas perspectivas, la presidencia —y los azares de la más reciente revolución— lo pondrían en el pueblo de Padilla, donde murió Iturbide. En 1828, en el viaje de la comisión, Mier y Terán visitó esa villa fantasmal que, según el diario de los científicos, «no merece fijar nuestra atención». Entonces había caminado por el cuarto oscuro del cuartel donde Iturbide estuvo en capilla y se había detenido en el campo santo.

El 2 de julio de 1832, Mier y Terán volvería a recorrer los mismos lugares. Por más de una hora contemplaría el sepulcro de Iturbide. Lamentaría con su secretario la futura pérdida de Texas. Desoiría su respuesta («probablemente recibirá la mayoría de votos para la presidencia y así usted podrá remediar el mal que teme») y sólo comentaría que los cortesanos que rodean a los presidentes no permiten que les llegue ni un rayo de verdad. A la mañana siguiente, Mier y Terán caminaría de nuevo rumbo a la plaza, y exactamente de cara al lugar donde había caído Iturbide colocaría su espada y ensartaría su cuerpo con ella. Obedeciendo sus deseos finales, su secretario lo sepultó en la misma tumba donde descansaban los restos de Iturbide, su cuerpo en abrazo póstumo con el del libertador.

Mier y Terán no fue el único militar criollo en sentir esta solidaridad con Iturbide. Hacia 1838, por orden del general y presidente Anastasio Bustamante, los restos de Iturbide se depositarían en una capilla de la catedral de la ciudad de México. A la muerte de Bustamante en 1853, su corazón sería depositado junto a los restos de su héroe.

Durante la segunda mitad del siglo XIX el recuerdo de Iturbide vivió en una suerte de limbo, alternativamente exaltado y vituperado, pero el triunfo liberal sobre Maximiliano, que enlazó su segundo imperio con el primero —el de Iturbide—, avivó los rencores republicanos sobre el menos absolutista de los emperadores.

Con todo, no faltaron voces disonantes, como la del excelente escritor Vicente Riva Palacio: «La sangre derramada en Padilla es una de las manchas más vergonzosas de la historia de México... El pueblo que pone las manos sobre la cabeza de su libertador es tan culpable como el hijo que atenta contra la vida de su padre.»

La posterior y pacífica era porfiriana no reivindicó a Iturbide; tampoco lo denigró especialmente. Los pareceres se dividían. Para Emilio Rabasa, «el 18 Brumario de Agustín de Iturbide había tenido el efecto duradero de desprestigiar todo principio de autoridad suprema, inducir una pérdida de fe en la ley y destruir, en germen, la idea democrática». Justo Sierra, más indulgente, escribió: «Jamás mereció el cadalso como recompensa; si la patria hubiese hablado, lo habría absuelto». Pero fue Bulnes, en las fiestas del Centenario de 1910, quien puso, finalmente, el dedo en la llaga:

«Encuentro inexplicable... que cuando el criterio de los mexicanos cultos se encuentra frío, libre de las asquerosas pasiones de facción... no haya habido movimiento a favor de un acto de rehabilitación que exige más que la memoria de Iturbide, nuestra propia vergüenza.»

Las palabras de Bulnes eran una respuesta solitaria al llamado final de aquel dubitativo monarca que en sus memorias del exilio, reflexionando sobre su efímero imperio, buscaba la gracia, el amparo, la amistad, el afecto de la posteridad: «Cuando instruyáis a vuestros hijos en la historia de la patria, inspiradles amor por el jefe del ejército trigarante... (quien) empleó el mejor tiempo de su vida en trabajar porque fuesen dichosos.» Buscaba algo más: el perdón. Lo merecía.

Lentamente, la nueva nación despertaría a la realidad. En su geografía habitada, el país mostraba ser mucho menos rico de lo que la leyenda de Humboldt había pretendido. Los inmensos desiertos del norte eran tan inhóspitos como las selvas del golfo; para llegar desde los dos océanos a las buenas tierras del altiplano central, debía atravesarse alguna de las dos intrincadas cadenas montañosas que bajaban desde el norte pegadas a las costas y dificultaban el tránsito de bienes y personas, aparte de impedir el paso de los vientos y las lluvias.

En el campo, la unidad por antonomasia era la hacienda autárquica, improductiva, señorial, más un eco de tiempos feudales que una moderna explotación capitalista (había cerca de seis mil en el país); la plata mexicana había sido una fuente de riqueza fundamental para la corona, pero tres siglos de constante explotación y once años de guerra civil inutilizaron muchas minas o, cuando menos, paralizaron el trabajo en ellas.

La falta de ríos navegables daba desde entonces al paisaje mexicano un aire de «aristocrática esterilidad». Más allá, en las vastedades del norte, adonde sólo habían llegado algunos colonos, aventureros y misioneros, una riqueza natural prodigiosa aguardaba en silencio. Sin embargo, faltaban mexicanos no sólo para apreciarla y explotarla; para sospechar al menos su existencia. Al comenzar su vida independiente, el nuevo país no tenía siquiera una noción cartográfica de sus dominios, límites y recursos.

Para domeñar aquel inabarcable territorio de más de cuatro millones de kilómetros cuadrados, México contaba apenas con una población de siete millones de personas (de las cuales el 90 por 100 vivía en pequeños pueblos y rancherías, y seguía siendo predominantemente indígena). A estas circunstancias de desventaja natural y demográfica, se aunaría muy pronto la participación del hombre. El país, que nació con un atraso de siglos para construir un régimen de libertades cívicas y bienestar económico, perdería décadas preciosas en una discordia civil que a la postre lo conduciría a la bancarrota, el descrédito, la violencia interna, la guerra exterior y el desmembramiento de su territorio.

Una de las razones fundamentales de la discordia atañería al lugar histórico de la Iglesia en la nueva nación: prácticamente absoluto su dominio espiritual sobre los hombres, no lo era menos, contra todas las tendencias modernas del siglo, su dominio temporal. En tierras, edificios, bienes muebles, hipotecas y créditos de toda índole, poseía la quinta parte de la riqueza nacional. Visto el cuadro crónico de falta de liquidez y capital, esta situación explotaría inevitablemente.

Pese a que México había dejado de ser una colonia y no ocupaba ya un sitio en el orden supranacional del imperio español, no era todavía una nación; formaba, hasta por su accidentada geografía, un mosaico de pequeños pueblos, comunidades y provincias aisladas entre sí, sin noción de la política, menos aún de la nacionalidad, y gobernadas por los hombres fuertes de cada lugar.

Estos personajes habían surgido como hongos, no sólo en México sino en toda la América hispana, a raíz del hundimiento del orden colonial. Aunque sus nombres diferían desde las Pampas hasta Venezuela o México, sus características serían muy semejantes: validos de su riqueza personal, del prestigio y el poder adquiridos en las guerras de independencia, del terror que inspiraban en sus regiones o de las promesas de beneficios para ellas, estos jefes se volvieron monarcas locales.

Su nombre en México provenía de una voz del Caribe —«cacique»—, pero desde los más remotos tiempos coloniales connotaba la idea de mando total, casi teocrático, de clara raigambre indígena. Frente a esta poderosa figura de las regiones se erguía otra con reminiscencias medievales, no sólo hispánicas sino árabes: la de los caudillos.

Como los antiguos conquistadores, como los guerreros que «se alzaban» contra el reino, así estos jefes militares surgidos de las luchas por la independencia no circunscribían su actuación a las provincias; antes bien, las extendían al país entero, y desde las capitales reclamaban para sí un horizonte de poder más amplio que el de los caciques: un poder nacional.

En el caso particular de México, un rasgo distinguió marcadamente a los caciques de los caudillos: aquéllos solían ser mestizos y contaban con la lealtad de los hombres étnicamente afines, los mestizos como ellos, los indios y las castas. Los caudillos, en cambio, al menos hasta mediados del siglo XIX, fueron predominantemente criollos.

La historia nacional, como quería Tolstoi, debería ser la suma de todas las historias regionales, e incluso, en un extremo imposible, individuales, sostiene Enrique Krauze, el más reputado historiador del México contemporáneo de nuestros días, en su obra *Siglo de Caudillos*, biografía política de México (1810-1910). En ese sentido, agrega Krauze, la historia de México está, en alguna medida, por escribirse.

Desde su óptica, «los principales protagonistas de esa historia serían los caciques». «No obstante», apunta, «hay otra dimensión de la historia que, aunque limitada en cuanto al reflejo fiel de la vida mexicana en toda su extensión social y geográfica, constituyó, sin embargo, la historia decisiva. Esa historia es la de las minorías rectoras, cuyas acciones e ideas influyeron poderosamente en la vida de todos los habitantes, sin que éstos, en la mayoría de los casos, lo sospecharan. En esta acepción restringida, no es excesivo afirmar que la historia de México durante la primera mitad del siglo XIX fue la historia de sus caudillos criollos.»

No es una historia feliz. Con el paso de los años y a despecho de los luminosos augurios del comienzo, estas minorías demostrarían con creces su incapacidad para organizar un Estado sólido en lo económico y estable en lo político. Españoles de segunda en tiempos de la colonia, mexicanos de primera a raíz de la independencia, los caudillos criollos revelarían una pobre sensibilidad para manejar los aspectos elementales de la vida económica y una falta de preparación casi total en el arte o la ciencia del gobierno autónomo y la diplomacia.

España misma, como escribió Bolívar, los había privado de esa experiencia. Su dilatado dominio se basó justamente en las premisas contrarias: ella nombró siempre las autoridades, que casi nunca recaían en la población nativa.

Por lo demás, a pesar de las reformas borbónicas, hacía tiempo que la propia España había dejado de ser un ejemplo de eficacia política y eficiencia económica. Si la rama era igual al tronco, el futuro de la rama no parecía demasiado halagüeño.

En esas condiciones —observó en 1827 Henry G. Ward, el primer representante británico en México— «despojarse del yugo había sido una tarea relativamente fácil, pero organizar a la sociedad después de la disolución de todos los anteriores lazos, frenar las pasiones una vez desatadas, dar a cualquier partido o sistema un decidido ascendiente allí donde las demandas o pretensiones son iguales y el talento superior escaso, éste es un arte que nada sino la experiencia puede enseñar».

El aprendizaje sería, en verdad, largo y doloroso. La falta de preparación se manifestó en una infinidad de aspectos. El manejo desordenado, imprevisor e improductivo de la Hacienda Pública y el crédito internacional (proveniente, en un principio, de Inglaterra) fue uno de ellos: los gastos corrientes, sobre todo los del ejército, lo consumían todo.

La persistencia de los odios étnicos y sociales originados en la guerra insurgente era otro. Ante la tenaz negativa de España a reconocer la independencia de su antigua colonia, y ante los continuos amagos de reconquista desde la fortaleza de San Juan de Ulúa, frente a Veracruz, o desde Cuba, el sentimiento antiespañol llegó a extremos obsesivos que no palió la capitulación de aquel fuerte, en 1825.

Dos años después, los enclaves españoles en México pasaron a la sedición interna. El ánimo antiespañol explotó por fin con dos durísimas leyes que decretaban la expulsión de todos los españoles del país en un lapso de sesenta días y el saqueo de los principales almacenes del comercio español en El Parián, en el centro de la ciudad de México.

Lucas Alamán vio en aquellos sucesos un eco de la guerra de Hidalgo: «(se repetían) todos los excesos que en la insurrección se

175

veían cuando entraban los insurgentes en una población». Tenía razón.

Eran los mismos protagonistas: la corona española frente a los últimos caudillos insurgentes que, tras el sueño imperial de Iturbide, habían alcanzado la presidencia de México: Guadalupe Victoria (primer presidente, de 1824 a 1828) y Vicente Guerrero, que gobernó al país durante nueve meses en 1829.

En ese año, los rumores de reconquista se volverían realidad: España envió una escuadra al golfo de México que sería definitivamente rechazada. Sólo entonces se empezaría a considerar seriamente la opción del reconocimiento, pero el costo económico y moral de aquella recurrencia de odios fue muy grande. En el triste desenlace, una parte de la responsabilidad correspondía a España, pero otra, acaso la mayor, a la intransigencia de las elites radicales que pretendían borrar incluso la memoria de los siglos coloniales.

José María Luis Mora, portavoz de la moderación, advirtió que los españoles, aparte de sus familias, se llevarían con ellos sus haberes y conocimientos, lo que dejaría un vacío difícil de llenar. Recordó que, a más de tres siglos de distancia, España no se recuperaba aún de los efectos que provocó la insensata expulsión de los judíos y moriscos. Algo similar podría ocurrirle a México: «jefes y autoridades que presidís los destinos de la patria... del error o acierto en vuestras deliberaciones y providencias depende la salvación o la ruina irreparable de la patria», sentenciaba Mora.

Pero quizá el error más característico de la época haya sido el idealismo de las leyes y su consecuente desprestigio. La necesidad de confiar en principios fijos, la obsesiva concentración en los aspectos formales, abstractos, de la construcción nacional y, en cambio, el descuido de sus exigencias prácticas y concretas eran rasgos heredados de la cultura política española que compartían muchos protagonistas de la vida pública mexicana.

Entre 1822, cuando Iturbide se declaró emperador, y 1847, en el punto álgido de la invasión norteamericana, México vivió en un estado casi permanente de agitación y penuria, soportó cincuenta gobiernos militares, fue alternativamente una república federalista (1824-1836) y centralista (1836-1847), sufrió secesiones (una irreversible, la de Texas en 1836; otra revertida en 1847, la de Yucatán), pero encontró tiempo para convocar siete congresos constituyentes y promulgar un acta constitutiva, tres constituciones, un acta de reforma, innumerables constituciones estatales, cada una con la idea definida de la redención nacional.

Krauze, en su obra *Siglo de caudillos,* observa que ligada estrechamente a un afán legalista estaba su contrapartida: el «alzamiento», la asonada militar, a veces precedida de una proclama. «Antes de cada golpe de Estado», añade este historiador, «el militar que lo encabezaba se sentía obligado a disparar no un cañonazo de pólvora sino un teatral y retórico cañonazo de palabras: un "pronunciamiento" (¡Mexicanos... Soldados de la libertad!). A su vez, cuanto más perfectos los planes, más frecuentes los golpes de Estado para imponerlos y mayor el desprestigio de las leyes. México llegó a ser conocido como un país de revoluciones.» Tan continuas eran ya esas proclamas nacidas en los cuarteles, estas balaceras nacidas de las proclamas, que —refiere un cronista de la época— el pueblo citadino las tomaba con «aire de fiesta, entre carreras y cantos, comiendo y bebiendo, y casi temía el establecimiento de la paz». El pueblo mismo acuñó un término propio para describirlas: «Ahí viene la bola.»

Algunos historiadores liberales atribuirían el mal de las revoluciones y pronunciamientos a Iturbide. Era él quien, al disolver el Congreso, había ahogado en su cuna la idea democrática. Esta apreciación era cuando menos parcial: olvidaba, entre otras cosas, la responsabilidad de las logias masónicas rivales en la corrupción del gobierno republicano, democrático y representativo.

Los proyectos de país no se dirimían de modo legal y abierto en el Congreso, que supuestamente debía albergar las mejores opiniones, ni en la prensa, que con honestidad defendiese éstas, sino en la penumbra de las temidas logias masónicas de los ritos de York (an-

tiespañoles, radicales, pronorteamericanos, federalistas, embrionariamente liberales) y «escoceses» (probritánicos, moderados, centralistas, embrionariamente conservadores). Allí se decidía el destino del país mediante la conspiración militar, el cohecho de diputados,
el fraude electoral y el uso de dineros o instrumentos públicos para
apoyar campañas.

Gracias a un auténtico milagro de la providencia, señala Krauze,
por las nuevas inversiones británicas que fluían a las minas y por el
dinero de un par de onerosos préstamos que aún no se habían ago-
tado, el honesto presidente Guadalupe Victoria terminaría su gobierno.

Había confiado en la consolidación de las instituciones republicanas y la pacífica sucesión del poder, pero lo cierto es que a todo
lo largo de su mandato el poder no había residido sino en las logias, las cuales, infiltradas en el propio gabinete, en los diarios, en
el Congreso, en los gobiernos estatales y los cuarteles, buscaban a
toda costa apoderarse del país mediante la eliminación del enemigo. Los sucesos políticos finales del gobierno de Guadalupe Victoria
demostrarían que las elites rectoras, acaudilladas por los grandes jefes insurgentes y sus asesores masónicos, guardaban muy poco respeto a las leyes de la Constitución federal que, en 1824, ellos mismos habían jurado.

Uno de esos jefes, Nicolás Bravo, cabeza de los «escoceses», se
levantó en armas contra Guadalupe Victoria en 1827. No se trataba de cualquier jefe relegado: era nada menos que el vicepresidente
de la República. Su castigo sería el exilio y el crepúsculo de su grupo. Sin embargo, los masones «yorkinos» no supieron aprovechar
su repentino monopolio político para el avance de la democracia.
Cuando su caudillo mayor, el popular héroe de la independencia
Vicente Guerrero, perdió las elecciones ante el también yorkino, aunque moderado, Manuel Gómez Pedraza, aquél recurrió a las armas.
Lo aconsejaba nada menos que el gran federalista Lorenzo de Zavala,
y lo apoyaba con las armas un caudillo que exhibía una vez más su

vocación conspiratoria y su falta de principios: Antonio López de Santa Ana.

Zavala y un tal general Lobato iniciaron un motín en la guarnición de La Acordada y, además, azuzaron al pueblo de la ciudad para que asaltase los almacenes comerciales de El Parián. El golpe de Estado logró la renuncia del presidente electo Gómez Pedraza, pero dio al traste con la legitimidad de la vida republicana.

Bolívar, de nueva cuenta, al enterarse de la revuelta de La Acordada, escribiría con desilusión: «La opulenta México (es hoy) ciudad leperada... los horrores más criminales inundan aquel país: nuevos sanculotes, o más bien descamisados, ocupan el puesto de la magistratura y poseen todo lo que existe. El derecho casual de la usurpación y del pillaje se ha entronizado en la capital como rey, y en las provincias de la Federación. Un héroe de las costas del Sur, vil aborto de una india salvaje con un feroz africano, sube al puesto supremo por sobre dos mil cadáveres y a costa de veinte millones arrancados a la propiedad. No exceptúa nada este nuevo Dessalines; lo viola todo; priva al pueblo de su libertad, al ciudadano de lo suyo, al inocente de la vida, a las mujeres de su honor... No pudiendo ascender a la magistratura por la senda de las leyes y los sufragios públicos, se asocia al general Santa Ana, el más perverso de los mortales. Primero, destruyen el Imperio y hacen morir al emperador, como que ellos no podían abordar el trono; después establecen la Federación de acuerdo con otros demagogos, tan inmorales como ellos mismos, para apoderarse de las provincias y aun de la capital... Los asquerosos léperos, acaudillados por generales de su calaña... Guerrero, Lobato, Santa Ana... ¡Qué hombres o qué demonios son éstos!».

Con el mismo equilibrio con que había reprobado la «usurpación» del «tal Iturbide», Bolívar lamentaba también el desenlace violento de aquel sueño republicano. Había un fondo de razón en sus palabras: Imperio y República caían por obra de un golpe militar de Santa Ana, pero en aquel caso Bolívar confió en que el sangriento fin de un gobierno equivocado trajese el «reposo» a la «opulenta nación». El golpe de los republicanos contra el republicanismo le hería mucho más. México contribuía a la opinión que Bolívar se iba formando sobre el cruel destino de la América española: «No hay buena fe en América, no entre las naciones. Los tratados son papeles; las constituciones, libros; las elecciones, combates; la libertad, anarquía; y la vida, un tormento.»

Por lo que hace a las referencias racistas en el texto de Bolívar, también criollo, que en su propio país llegó a temer el acceso al poder de los «pardos», por desagradables que fuesen tocaban un hecho esencial para entender la política de la época. La oportunidad histórica correspondía a los criollos, no a los mestizos, cuyo crecimiento demográfico —silencioso pero constante— apenas se percibía.

Por eso Vicente Guerrero se sentía como un extraño en el poder, como un guerrillero en el poder. Rehuía el trato con las «gentes civilizadas y las abstracciones de la política», escribe Zavala, y «su amor propio se sentía humillado delante de las personas que podían advertir los defectos de su educación, los errores de su lenguaje y algunos modales rústicos».

Guerrero no tenía ni remotamente el talento de Morelos, pero lo suplía con una auténtica lealtad a los ideales de federalismo, independencia e igualdad social por los que había luchado durante diez años. Aunque la opinión pública ponderaba estas prendas y reconocía en él a un hombre que mantuvo la flama de la insurgencia, también advertía sus limitaciones como político.

Guerrero las advertía también: se sentía fatalmente inseguro y, por tanto, aislado en la presidencia. Soñaba con otra vida, la de siempre, la de la sierra. «Ah, mi amigo», le confesaba a Zavala, cuando en el campo caminaban juntos, «cuánto mejor es esta soledad, este silencio, esta inocencia, que aquel tumulto de la capital y de los negocios.»

«Cómo un hombre semejante ambicionó la presidencia, rodeada de tantos peligros», se preguntaba Zavala. La respuesta era simple: en manos de los criollos yorkinos, Guerrero había sido un instrumento. Lo suyo era continuar la querella de la independencia, emitir un nuevo decreto para expulsar a los españoles, planear una invasión a Cuba desde Haití que propiciase una revuelta de los negros, rechazar victoriosamente la expedición española de reconquista y, en recuerdo de su jefe Morelos, depositar las banderas españolas capturadas en el santuario de la Virgen de Guadalupe.

El destino deparaba a Vicente Guerrero extraños paralelismos con Iturbide, el otro caudillo del *Plan de Iguala*. Ambos se enfangaron en una profunda crisis del erario, de la cual intentarían salir a través de un novedoso régimen fiscal y otros arbitrios aconsejados por Lorenzo de Zavala; ambos tuvieron problemas para el pago del ejército (lo cual, por supuesto, avivaba los ánimos revolucionarios); ambos —por distintas razones— fueron incapaces de gobernar.

Después de que el Congreso lo declarara en efecto «imposibilitado para gobernar», Guerrero volvió a la sierra del Sur, de donde provenía, donde había peleado junto con Morelos y resistido hasta la consumación de la independencia. Como su lugarteniente, le acompañaba un hombre de los mismos breñales del Sur, mestizo como él y como él cercano a la tierra, a los indios, a los ideales de igualdad social y étnica tan caros a Morelos; su nombre resonaría por varias décadas en la historia de México: Juan Álvarez, tal vez el cacique más prototípico del siglo XIX mexicano.

Pero esta vez la guerrilla del jefe insurgente del Sur no duraría. El nuevo gobierno sobornó con 50.000 pesos a un marinero genovés apellidado Picaluga para que contribuyese a su aprehensión. Con «lisonjas», Picaluga invitó a Guerrero a su barco en Acapulco. Días después, como Iturbide, Guerrero moriría fusilado en la huerta de la antigua capilla de Cuilapa, cerca de la capital de Oaxaca. Era el 13 de febrero de 1831.

Al enterarse, Manuel Mier y Terán escribiría a su amigo y consejero José María Luis Mora: «Siento como el que más la suerte de Vicente Guerrero; sus servicios a la independencia y su constancia en sostenerla, lo mismo que el haber sido declarado Benemérito de la Patria, pedían que se le hubiese tratado con otra consideración.»

El tiempo y los azares de la política consagrarían a este honrado caudillo mestizo que no se contentó con fincar un cacicazgo, que no pudo ni quiso ejercer con plenitud la presidencia, un lugar en el altar de los insurgentes sólo inferior al de Hidalgo y Morelos. Su mejor epitafio histórico lo daría Justo Sierra: «Los partidos trataban de hacer de él un político, cuando no era más que un gran mexicano.»

Con la muerte de Guerrero se cerraba un ciclo histórico en México, el ciclo de la insurgencia y sus reverberaciones. No había podido ser un imperio, no había podido construir una república. De pronto, los ideólogos criollos concentraron sus esfuerzos en un tema distinto: no tanto la forma política que debería asumir la nación cuanto la estructura económica que la sustentaba. Las logias, que por varios años habían agitado al país, se transformaron poco a poco en corrientes de opinión y grupos más abiertos pero igualmente opuestos en torno a dos proyectos ideales para México. En palabras de Mora, «la retrogradación y el progreso»; en palabras de Alamán, «la tradición y la demagogia».

No obstante, en el centro del escenario, el papel protagónico no lo tendrían los ideólogos sino los militares y sus jefes: los caudillos. Ante la fluctuación de proyectos, el idealismo de las leyes y la debilidad e irresolución de las élites civiles, los militares sintieron que su «sagrada obligación» era prevenir la anarquía, evitar que «un déspota cualquiera» se apoderase de las riendas, contribuir a la «salvación nacional». El experto histórico en estas operaciones de «salva-

ción nacional» sería el hombre que Bolívar consideraba «el más prós-
pero de los mortales», pero al que el sector políticamente consciente y estratos más amplios del pueblo adoptaron de modo ciego e
inexplicable, por casi tres décadas. Fue el caudillo de caudillos:
Antonio López de Santa Ana.

# Epílogo

VICENTE Guerrero, aunque héroe indiscutible de la guerra de Independencia y patriota noble y honrado, resultó oscurecido y humillado por sus vigorosos enemigos políticos. En sus últimos instantes se le llamó «el faccioso», como una calumnia más para rebajar su gloria.

Casi tres años después de su asesinato, cuando era presidente Santa Ana por tercera vez, el Congreso General expidió un decreto declarándolo «Benemérito de la Patria» y ordenando que el Gobierno, de acuerdo con las autoridades del estado de Oaxaca, trajera a la capital mexicana «el todo o parte de los restos del ciudadano Vicente Guerrero y que se depositen en la urna que guarda las cenizas de los principales héroes de la independencia».

Los conflictos políticos, las revueltas, las asonadas y los pronunciamientos frecuentes impidieron que se cumpliera este deseo inmediatamente. Habrían de transcurrir nueve años más para hacerle justicia. Sus restos habían sido trasladados de Cuilapan a Oaxaca en 1833 y ahí permanecían esperando su momento, a disposición del Supremo Gobierno.

Fue preciso que sus familiares, su viuda doña María Guadalupe Saldaña de Guerrero, su hija María Dolores y el esposo de ésta, don

Mariano Riva Palacio, recordaran aquel decreto y pidieran licencia para traerlos al cementerio de Santa Paula.

Ni homenajes fastuosos, ni siquiera decorosas ceremonias públicas al cadáver del héroe. La única persona para quien estas circunstancias y todos los lazos de compañerismo del pasado podían llevarlo a decisiones más honrosas era Nicolás Bravo, que entonces sustituía a Santa Ana en la presidencia de la República.

No lo hizo, sin embargo. Toda su política de los últimos años, la amnistía que generosamente le concedió Guerrero, su última persecución, hubieran quedado saldadas con ello.

Fue Santa Ana quien de nuevo, el 3 de abril de 1843, se acordó de Vicente Guerrero para expedir otro decreto ordenando erigir un monumento a su gloriosa memoria en Santa Paula por cuenta de la nación. Por supuesto, tampoco habría de cumplirlo.

Desde 1821, poco antes de que México lograra su independencia, el gobierno español de la colonia había autorizado al norteamericano Moisés Austin a colonizar el territorio mexicano de Texas, con familias católicas, de buenas costumbres, que acataran y defendieran al rey de España. Para vergüenza de todos los habitantes del país, sería Santa Ana y no Guerrero el que se encargaría de entregar no sólo Texas, sino casi la mitad del territorio de México, a Estados Unidos.

Pero tampoco debe olvidarse que fue el hundimiento del orden histórico español el que provocó en toda Latinoamérica la aparición de los caudillos. Eran todos hombres fuertes, los nuevos «condotieros», los jefes, los dueños de vidas y haciendas, los herederos del arquetipo hispanoárabe que blandía la reluciente cimitarra, o los émulos de los caballeros medievales que «se alzaban con el reino».

Este proceso se repitió en el México del siglo XIX, aunque con una particularidad. Los caudillos mexicanos tenían algo que iba más allá del mero carisma: un halo religioso, ligado en ocasiones al providencialismo, otras a la idolatría, a veces a la teocracia. En todo caso, como escribe Krauze, «una concomitancia con lo sagrado».

En suma, por tres siglos el orden tradicional mexicano semejó una vasta pirámide de obediencia, aquiescencia, sumisión, casi siempre suave, casi nunca impuesta o violenta. Una pirámide cristiana e imperial, construida sobre otra en letargo, no vencida: la pirámide indígena. Éste fue el orden de dominación política que se hundió en 1810.

Como en toda Latinoamérica, lo que sucedió a ese hundimiento fue el surgimiento de caudillos que buscaban la independencia. Pero eran caudillos peculiares: los sacerdotes insurgentes Miguel Hidalgo y José María Morelos. A su aparición efímera, trágica, preñada de significaciones y tensiones que el futuro revelaría como una escritura cifrada, siguió una etapa (1821-1855) dominada por los típicos caudillos criollos, semejantes a sus pares latinoamericanos que presidieron sobre una era de anarquía, desmembramiento territorial, penuria económica y, sobre todo, violencia: revoluciones, guerras extranjeras, contiendas civiles.

Pero la historia de México reclamaba un orden distinto, nacido de otras fuentes de legitimidad, que provocaron el surgimiento de una figura como Benito Juárez. Ningún otro país de América tendría una personalidad que realmente se le asemejara: un indio presidente en la segunda mitad del siglo XIX. La cultura oficial ha enaltecido su imagen hasta hacerla impenetrable, pero ello no resta un ápice su papel en la consolidación de un nuevo orden político en México, que permitió el afianzamiento de una nación autónoma dotada de un Estado fuerte y centralizado.

La historia mexicana pudo así regir su cauce por leyes misteriosas de carácter étnico como parece sugerir el fracaso inexorable de los criollos y el ascenso firme de los mestizos guiados por Juárez, el pastor indio.

Lucas Alamán, uno de los caudillos intelectuales del siglo XIX mexicano, consideraba necesario estudiar la historia española para entender la historia mexicana. Al respecto, escribió: «De España procede la religión que profesamos, todo el orden de administración civil y religioso que por tantos años duró y que aún en gran parte se conserva; nuestra legislación y todos nuestros usos y costumbres, razón para dar a conocer el principio que todo esto tuvo, para apreciar nuestro origen, y examinar el nacimiento, progresos, grandeza y decadencia de la nación de que hemos hecho parte...».

Krauze, a su vez, complementa este veredicto con otra sentencia igualmente lapidaria al afirmar en su obra *Siglo de Caudillos* que la historia mexicana también le pertenece a España: «Porque», escribe, «aunque la rama se separó del tronco en 1821, siempre le fue —y le sigue siendo— secretamente fiel.»

## Bibliografía

— Lucas Alamán (1942). *Historia de México,* III-V; México, Ed. Jus.

— Antonio Magaña Esquivel (1946). *Guerrero, el héroe del Sur;* México, Ed. Xochitl.

— Luis Ramírez Fentanes (1958); *Guerrero, Colección de Documentos;* México, Ed. Archivo Histórico Militar de la Secretaría de la Defensa Nacional.

— J. Bravo Ugarte (1959). *México Independiente;* México, Ed.Jus.

— Herminio Chávez Guerrero (1971). *Vicente Guerrero, el Consumador;* México, Ed. Cultura y Ciencia Política A.C.

— José María Lafragua (1976). *Vicente Guerrero;* México, Ed. Partido Revolucionario Institucional.

— Cuadernos del Instituto Dr. José María Luis Mora (1982). *Memoria de la mesa redonda sobre Vicente Guerrero;* México.

— Enrique Krauze (1994). *Siglo de caudillos;* Barcelona, Ed. Tusquets.

# BIBLIOGRAFÍA

# DEMOCRACY
and the
## CHURCHES